中華國學經典百部

精華本

呻吟语

[明]吕坤 著

游一行 注

中国书店

图书在版编目（CIP）数据

呻吟语 /（明）吕坤著；游一行注．—北京：中国书店，2023.10
（中华国学经典百部：精华本）
ISBN 978-7-5149-2963-8

Ⅰ．①呻… Ⅱ．①吕… ②游… Ⅲ．①人生哲学—中国—明代 Ⅳ．① B248.92

中国版本图书馆 CIP 数据核字（2022）第 075405 号

呻吟语
〔明〕吕坤 著　游一行 注
责任编辑：张菁

出版发行：中国书店
地　　址：北京市西城区琉璃厂东街 115 号
邮　　编：100050
电　　话：（010）63171753（总编室）
（010）63017857（发行部）
印　　刷：三河市嘉科万达彩色印刷有限公司
开　　本：787mm × 1092mm　1/32
版　　次：2023 年 10 月第 1 版第 1 次印刷
字　　数：153 千
印　　张：6（全 300）
书　　号：ISBN 978-7-5149-2963-8
定　　价：1490.00 元（全 50 册）

前言

中国古典散文发展到明清时代，形成了一个转折，即从对政治、历史和社会现实的关注，转向了对人生、处世、生活情趣的表达，承载这种转变的典型文体便是小品文。晚明是小品文的兴盛时期。这个时期出现了具有时代特色的传世佳作，如李渔的《闲情偶寄》、张潮的《幽梦影》、余怀的《板桥杂记》、沈复的《浮生六记》、冒襄的《影梅庵忆语》等。而《呻吟语》亦是其中之一种。

吕坤（1536—1618），生活于明嘉靖、隆庆、万历年间，字叔简，字心吾或新吾，号抱独居士，河南宁陵人。《明史》卷二二六评价其为人“刚介峭直，留意正学。居家之日，与后进讲习，所著述，多出新意”。《呻吟语》是吕坤积三十年心血的著述，是一本语录体、箴言体的小品文集。他在原序中称：“呻吟，病声也。呻吟语，病时疾痛语也。”所以以“呻吟语”来命名。这部书刊刻于明万历二十一年（1593），当时吕坤在山西太原任巡抚。

《呻吟语》综采百家思想，但仍以儒家思想为核心。全书分为六卷，即礼集、乐集、射集、御集、书集、数集，以孔子六艺结篇，可见作者的为学之基。其中前三卷为内篇，后三卷为外篇。内篇分为性命、存心、伦理、谈道、修身、问学、应务、养生，外篇分为天地、世运、圣贤、品藻、治道、人情、物理、广喻、词章，共十七篇。可以说，《呻吟语》的内容涵盖了儒家修身、齐家、治国、平天下的品德，其文字严肃谨重，并没有一些晚明文人的狂狷之风与虚无的态度。

这正是本书的特色与价值所在。全书在风格上，行文张弛有度，形随意移，文字亦庄亦谐，极重文学性、趣味性，哲理性强。

清代尹会一在《吕语集萃·序》中曾说："吕新吾先生著述甚富，皆心得之学，明体达用之书也，而《呻吟语》为最。余反复玩味，见其推勘人情物理，研辨内外公私，痛切之至，令人当下猛省，奚啻砭骨之神针，苦口之良剂。"评价很是中恳。申涵光也在他的《荆园小语》中说："吕新吾先生《呻吟语》，不可不常看。"《呻吟语》可谓君子立人、处世、为学、做官良书，为后学诸君子提供了座右之铭，即使到了现代，想修得光明磊落心性、以铮铮铁骨立世之人，也不可不看。

《呻吟语》的智慧博大精深，本书在保留全书体例结构的基础上，采撷其精粹之句结成。由于编者水平有限，难免有疏漏之处，敬请读者朋友多批评指正。

原序

呻吟，病声也。呻吟语，病时疾痛语也。病中疾痛，惟病者知，难与他人道；亦惟病时觉，既愈，旋复忘也。

予小子生而昏弱善病，病时呻吟，辄志所苦以自恨，曰：“慎疾，无复病。”已而弗慎，又复病，辄又志之。盖世病备经，不可胜志。一病数经，竟不能惩。语曰：“三折肱成良医。”予乃九折臂矣。瘥痼年年，呻吟犹昨。嗟嗟！多病无完身，久病无完气，予奄奄视息而人也哉！

三十年来，所志《呻吟语》，凡若干卷，携以自药。司农大夫刘景泽，摄心缮性，平生无所呻吟，予甚爱之。顷共事雁门，各谈所苦。予出《呻吟语》视景泽，景泽曰：“吾亦有所呻吟，而未之志也。吾人之病，大都相同。子既志之矣，盍以公人？盖三益焉：医病者见子呻吟，起将死病；同病者见子呻吟，医各有病；未病者见子呻吟，谨未然病。是子以一身示惩于天下，而所寿者众也。即子不愈，能以愈人，不既多乎？”予矍然曰：“病语狂，又以其狂者惑人闻听，可乎？”因择其狂而未甚者存之。

呜呼！使予视息苟存，当求三年艾，健此余生，何敢以瘥痼自弃？景泽，景泽，其尚医予也夫！

万历癸巳三月，抱独居士宁陵吕坤书

目录

卷一　内篇·礼集

性命

正命[1]者，完却正理，全却初气，未尝以我害之，虽桎梏而死，不害其为正命。若初气凿丧，正理不完，即正寝告终，恐非正命也。

【注释】

①正命：《孟子·尽心上》："尽其道而死者，正命也。"

德性以收敛沉着为第一，收敛沉着中又以精明平易为第一。大段收敛沉着人怕含糊，怕深险。浅浮子虽光明洞达，非蓄德之器也。

或问："人将死而见鬼神，真耶？幻耶？"曰："人寤则为真见，梦则为妄见。魂游而不附体，故随所之而见物，此外妄也；神与心离合而不安定，故随所交而成景，此内妄也。故至人无梦[1]，愚人无梦，无妄念也。人之将死，如梦然，魂飞扬而神乱于目，气浮散而邪客于心，故所见皆妄，非真有也。或有将死而见人拘系者，尤妄也。异端之语，入人骨髓，将死而惧，故常若有见。若死必有召之者，则牛羊蚊蚁之死，果亦有召之者耶？大抵草木之生枯，土石之凝散，人与众动之死生、始终、有无，只是一理，更无他说。万一有之，亦怪异也。"

【注释】

①至人无梦：《庄子·大宗师》："古之真人，其寝不梦。"

气无终尽之时，形无不毁之理。

真机、真味要涵蓄，休点破。其妙无穷，不可言喻，所以圣人无言。一犯口颊，穷年说不尽，又离披浇漓，无一些咀嚼处矣。

性分不可使亏欠，故其取数也常多，曰穷理，曰尽性，曰达天，曰入神，曰致广大、极高明。情欲不可使赢余，故其取数也常少，曰谨言，曰慎行，曰约己，曰清心，曰节饮食、寡嗜欲。

深沉厚重是第一等资质，磊落豪雄是第二等资质，聪明才辩是第三等资质。

六合[①]原是个情世界，故万物以之相苦乐，而至人圣人不与焉。

【注释】

①六合：天地宇宙。

凡人光明博大、浑厚含蓄，是天地之气；温煦和平，是阳春之气；宽纵任物，是长夏之气；严凝敛约、喜刑好杀，是秋之气；沉藏固啬，是冬之气；暴怒是震雷之气，狂肆是疾风之气，昏惑是霾雾之气，隐恨留连是积阴之气，从容温润是和风甘雨之气，聪明洞达是青天朗月之气。有所钟者，必有所似。

先天之气发泄处不过毫厘，后天之气扩充之必极分量。其实分量极处原是毫厘中有底，若毫厘中合下原无，便是一些增不去。万物之形色才情，种种可验也。

蜗藏于壳，烈日经年而不枯，必有所以不枯者在也。此之谓以神用，先天造物命脉处。

兰以火而香，亦以火而灭；膏以火而明，亦以火而竭；炮以火而声，亦以火而泄。阴者，所以存也；阳者，所以亡也。岂独声色、气味然哉？世知郁者之为足，是谓万年之烛。

火性发扬，水性流动，木性条畅，金性坚刚，土性重厚。其生物也亦然。

一则见性，两则生情。人未有偶而能静者，物未有偶而无声者。

声无形色，寄之于器；火无体质，寄之于薪；色无着落，寄之草木。故五行惟火无体而用不穷。

人之念头与气血同为消长。四十以前是个进心，识见未定而敢于有为；四十以后是个定心，识见既定而事有酌量；六十以后是个退心，见识虽真而精力不振。未必人人皆此，而此其大凡也。古者四十仕，六十、七十致仕，盖审之矣。人亦有少年退缩不任事，厌厌若泉下人者，亦有衰年狂躁妄动喜事者，皆非常理。若乃以见事风生之少年为任事，以念头灰冷之衰夫为老成，则误矣。邓禹[①]沉毅，马援矍铄[②]，古诚有之，岂多得哉！

【注释】

①邓禹：东汉初年人，字仲华。在东汉建立过程中有功勋。②马援：东汉初年人，字文渊。著名将领，六十二岁时，仍然请命出征。矍铄（jué shuò）：勇猛。

命本在天。君子之命在我，小人之命亦在我。君子以义处命，不以其道得之不处，命不足道也；小人以欲犯命，不可得而必欲得之，命不肯受也。但君子谓命在我，得天命之本然；小人谓命在我，幸气数之或然。是以君子之心常泰，小人之心常劳。

性者，理气之总名。无不善之理，无皆善之气。论性善者，纯以理言也；论性恶与善恶混者，兼气而言也。故经传言性，各各不同，惟孔子无病[①]。

【注释】

①孔子无病：指《论语·阳货》中的“性相近也，习相远也”之说。

气、习，学者之二障也。仁者与义者相非，礼者与信者相左，皆气质障也。高髻而笑低髽[①]，长裾而讥短袂，皆习见障也。大道明，率天下气质而归之，即不能归，不敢以所偏者病人矣；王制一，齐天下趋向而同之，即不能同，不敢以所狃者病人矣。哀哉！兹谁任之？

【注释】

①髽（zhuā）：束在头顶两旁的髻。

父母全而生子，子全而归之，发肤还父母之初，无些毁伤，亲之孝子也；天全而生之，人全而归之，心性还天之初，无些缺欠，天之孝子也。

虞廷[①]不专言性善，曰：“人心惟危，道心惟微。”或曰：“人心非性。”曰：“非性可矣，亦是阴阳五行化生否？”六经不专言性善，曰：“惟皇上帝，降衷下民，厥有恒性。”又曰：“天生蒸民有欲，无主乃乱。”孔子不专言性善，曰：“继之者，善也；成之者，性也。”又曰：“性相近也，惟上智与下愚不移。”才说相近，便不是一个。相远从相近起脚。子思[②]不专言性善，曰：“修道之谓教。”性皆善矣，道胡可修？孟子不专言性善，曰：“声色、臭味、安佚，性也。”或曰：“这性是好性。”曰：“好性如何君子不谓？”又曰：“动心忍性。”善性岂可忍乎？犬之性，牛之性，岂非性乎？犬、牛之性亦仁、义、礼、智、信之性乎？细推之，犬之性犹犬之性，牛之性犹牛之性乎？周茂叔[③]不专言性善，曰：“五性相感而善恶分、万事出矣。”又曰：“几善恶。”程伯淳[④]不专言性善，曰：“恶亦不可不谓之性。”大抵言性善者，主义理而不言气质。盖自孟子之折诸家始，后来诸儒遂主此说，而不敢异同，是未观于天地万物之情也。义理固是天赋，气质亦岂人为？无论众人，即尧、舜、禹、汤、文、武、周、孔，岂是一样气质哉？愚僭为之说曰：“义理之性有善无恶，气质之性有善有恶。”气质亦天命于人而与生俱生者，不谓之性可乎？程子[⑤]云：“论性不论气，不备；论气不论性，不明。”将性气分作两项便不透彻。张子[⑥]以善为天地之性，清浊纯驳为气质之性，似觉支离。其实，天地只是一个气，理在气之中，赋于万物，方以性言。故性字从生从心，言有生之心也。设使没有气质，只是一个德性，人人都是生知圣人，千古圣贤千言万语、教化刑名，都是多了底，何所苦而如此乎？这都是降伏气质，扶持德性。立案于此，俟千百世之后驳之。

【注释】

①虞廷：古时舜帝。②子思：孔子之孙，传为《大学》作者。③周茂叔：宋代理学家周敦颐，字茂叔。④程伯淳：宋代理学家程颢，字伯淳。⑤程子：宋代理学家程颐，字正叔，程颢之弟。⑥张子：宋代理学家张载，字子厚。

性，一母而五子。五性者，一性之子也。情者，五性之子也。一性静，静者阴；五性动，动者阳。性本浑沦，至静不动，故曰：“人生而静，天之性也。”才说性，便已不是性矣。此一性之说也。

宋儒有功于孟子，只是补出个气质之性来，省多少口吻！

存心

心要如天平，称物时物忙而衡不忙，物去时即悬空在此。只恁静虚中正，何等自在！

收放心，休要如追放豚，既入苙[1]了，便要使他从容闲畅，无拘迫懊侬之状。若恨他难收，一向束缚在此，与放失同，何者？同归于无得也。故再放便奔逸不可收拾。君子之心如习鹰驯雉，搏击飞腾，主人略不防闲；及上臂归庭，却恁忘机自得，略不惊畏。

【注释】

①苙（lì）：牲畜的圈。

学者只事事留心，一毫不肯苟且，德业之进也，如流水矣。

不动气，事事好。

心放不放，要在邪正上说，不在出入上说。且如高卧山林，游心廊庙，身处衰世，梦想唐虞。游子思亲，贞妇怀夫，这是个放心否？若不论邪正，只较出入，却是禅定之学。

或问："放心如何收？"余曰："只君此问便是收了。这放收甚容易，才昏昏便出去，才惺惺便在此。"

常使精神在心目间，便有主而不眩。于客感之交，只一昏昏，便是胡乱应酬。岂无偶合？终非心上经历过，竟无长进。譬之梦食，岂能饱哉？

防欲如挽逆水之舟，才歇力便下流；力善如缘无枝之树，才住脚便下坠。是以君子之心无时而不敬畏也。

一善念发，未说到扩充，且先执持住，此万善之囮[1]也。若随来随去，更不操存此心，如驿传然，终身无主人住矣。

【注释】

①囮（é）：本来指用经过训练的鸟诱捕其他的鸟。此处指万善之成因。

千日集义，禁不得一刻不慊于心，是以君子瞬存息养，无一刻不在道义上。其防不义也，如千金之子之防盗，惧馁之，故也。

无屋漏工夫①，做不得宇宙事业。

【注释】

①屋漏工夫：独处的修养。

君子口中无惯语，存心故也。故曰："修辞立其诚。"不诚何以修辞？

一念收敛，则万善来同；一念放恣，则百邪乘衅。

得罪于法，尚可逃避；得罪于理，更没处存身。只我底心，便放不过我。是故君子畏理甚于畏法。

或问："鸡鸣而起，若未接物，如何为善？"程子曰："只主于敬便是善。"愚谓：惟圣人未接物时何思何虑？贤人以下，睡觉时合下便动个念头，或昨日已行事，或今日当行事便来心上。只看这念头如何，若一念向好处想，便是舜边人；若一念向不好处想，便是跖①边人；若念中是善，而本意却有所为，这又是舜中跖，渐来渐去，还向跖边去矣。此是务头工夫。此时克己更觉容易，点检更觉精明，所谓去恶在纤微，持善在根本也。

【注释】

①跖（zhí）：即春秋战国之际的柳下跖，旧时蔑称他为盗跖。

目中有花，则视万物皆妄见也。耳中有声，则听万物皆妄闻也。心中有物，则处万物皆妄意也。是故此心贵虚。

忘是无心之病，助长是有心之病。心要从容自在，活泼于有无之间。

"静"之一字，十二时离不了，一刻才离，便乱了。门尽日开阖，枢常静；妍蚩尽日往来，镜常静；人尽日应酬，心常静。惟静也，故能张主得动，若逐动而去，应事定不分晓。便是睡时，此念不静，作个梦儿也胡乱。

把意念沉潜得下，何理不可得？把志气奋发得起，何事不可做？今之学者，将个浮躁心观理，将个委靡心临事，只模糊过了一生。

“心平气和”，此四字非涵养不能做，工夫只在个定火，火定则百物兼照，万事得理。水明而火昏。静属水，动属火，故病人火动则躁扰狂越，及其苏定，浑不能记。苏定者，水澄清而火熄也。故人非火不生，非火不死；事非火不济，非火不败。惟君子善处火，故身安而德滋。

当可怨可怒、可辩可诉，可喜可愕之际，其气甚平，这是多大涵养！

天地间真滋味，惟静者能尝得出；天地间真机括，惟静者能看得透；天地间真情景，惟静者能题得破。作热闹人，说孟浪语，岂无一得？皆偶合也。

未有甘心快意而不殃身者。惟理义之悦我心，却步步是安乐境。

问：“慎独如何解？”曰：“先要认住‘独’字。‘独’字就是‘意’字。稠人广坐、千军万马中，都有个‘独’，只这意念发出来是大中至正底，这不劳慎就将这‘独’字做去，便是天德王道。这意念发出来，九分九厘是，只有一厘苟且，为人之意，便要点检克治，这便是慎独了。”

用三十年心力，除一个“伪”字不得。或曰：“君尽尚实矣。”余曰：“所谓伪者，岂必在言行间哉？实心为民，杂一念德我之心便是伪；实心为善，杂一念求知之心便是伪；道理上该做十分，只争一毫未满足便是伪；汲汲于向义，才有二三心便是伪；白昼所为皆善，而梦寐有非僻之干便是伪；心中有九分，外面做得恰象十分便是伪。此独觉之伪也，余皆不能去，恐渐溃防闲，延恶于言行间耳。”

自家好处掩藏几分，这是涵蓄以养深；别人不好处要掩藏几分，这是浑厚以养大。

宁耐是思事第一法，安详是处事第一法，谦退是保身第一法，涵容是处人第一法。置富贵、贫贱、死生、常变于度外，是养心第一法。

胸中情景要看得：春不是繁华，夏不是发畅，秋不是寥落，冬不是枯槁，方为我境。

大丈夫不怕人，只是怕理；不恃人，只是恃道。

静里看物欲，如业镜照妖。

“躁心浮气，浅衷狭量”，此八字进德者之大忌也。去此八字，只用得一字，曰主静。静则凝重，静中境自是宽阔。

士君子要养心气，心气一衰，天下万事分毫做不得。冉有[①]只是个心气不足。

【注释】

①冉有：孔子弟子，冉求，字子有。

主静之力大于千牛，勇于十虎。

君子洗得此心净，则两间[①]不见一尘；充得此心尽，则两间不见一碍；养得此心定，则两间不见一怖；持得此心坚，则两间不见一难。

【注释】

①两间：天地之间。

人只是心不放肆，便无过差；只是心不怠忽，便无遗忘。

胸中只摆脱一“恋”字，便十分爽净，十分自在。人生最苦处，只是此心沾泥带水，明是知得，不能断割耳。

盗，只是欺人。此心有一毫欺人，一事欺人，一语欺人，人虽不知，即未发觉之盗也。言如是而行欺之，是行者言之盗也。心如是而口欺之，是口者心之盗也。才发一个真实心，骤发一个伪妄心，是心者心之盗也。谚云：“瞒心昧己。”有味哉其言之矣。欺世盗名其过大，瞒心昧己其过深。

此心果有不可昧之真知，不可强之定见，虽断舌可也，决不可从人然诺。

才要说睡，便睡不着；才说要忘，便忘不得。

举世都是我心。去了这我心，便是四通八达，六合内无一些界限。要去我心，须要时时省察这念头是为天地万物，是为我。

目不容一尘，齿不容一芥，非我固有也。如何灵台内许多荆榛，却自容得？

手有手之道，足有足之道，耳目鼻口有耳目鼻口之道，但此辈皆是奴婢，都听天君[①]使令。使之以正也顺从，使之以邪也顺从。渠自没罪过，若有罪过，都是天君承当。

【注释】

①天君：心。

心一松散，万事不可收拾；心一疏忽，万事不入耳目；心一执着，万事不得自然。

当尊严之地，大众之前，震怖之景，而心动气丧，只是涵养不定。

久视则熟字不识，注视则静物若动。乃知蓄疑者乱真知，过思者迷正应。

常使天君为主，万感为客便好。只与他平交，已自亵其居尊之体。若跟他走去走来，被他愚弄掇哄，这是小儿童，这是真奴婢，有甚面目来灵台上坐，役使四肢百骸？可羞可笑。（示儿。）

不存心，看不出自家不是。只于动静语默、接物应事时，件件想一想，便见浑身都是过失。须动合天则[①]，然后为是。日用间如何疏忽得一时？学者思之。

【注释】

①天则：自然法则。

人生在天地间，无日不动念，就有个动念底道理；无日不说话，就有个说话底道理；无日不处事，就有个处事底道理；无日不接人，就有个接人底道理；无日不理物，就有个理物底道理；以至怨怒笑歌、伤悲感叹、顾盼指示、咳唾涕洟、隐微委曲、造次颠沛、疾病危亡，莫不各有道理。只是时时体认，件件讲求。细行小物尚求合则，彝伦大节岂可逾闲？故始自垂髫，终于属纩[①]，持一个自强不息之心，通乎昼夜。要之，于纯一不已之地，忘乎死生，此还本归全之道，戴天履地之宜。不然恣情纵意而各求遂其所欲，凡有知觉运动者皆然，无取于万物之灵矣。或曰："有要乎？"曰："有。其要只在存心。""心何以存？"曰："只在主静，只静了，千酬万应都在道理上，事事不错。"

【注释】

①属纩：用新绵放在临终者鼻前，以验是否断气。代指疾病临终。

迷人之迷，其觉也易；明人之迷，其觉也难。

心相信，则迹者士苴也，何烦语言？相疑，则迹者媒孽也，益生猜贰。故有誓心不足自明，避嫌反成自诬者，相疑之故也。是故心一而迹万，故君子治心不修迹，中孚，治心之至也。豚鱼且信，何疑之有？

君子畏天，不畏人；畏名教，不畏刑罚；畏不义，不畏不利；畏徒生，不畏舍生。

"忍""激"二字，是祸福关。

殃咎之来，未有不始于快心者。故君子得意而忧，逢喜而惧。

一念孳孳，惟善是图，曰正思。一念孳孳，惟欲是愿，曰邪思。非分之福，期望太高，曰越思。先事徘徊，后事懊恨，曰萦思。游心千里，歧虑百端，曰浮思。事无可疑，当断不断，曰惑思。事不涉己，为他人忧，曰狂思。无可奈何，当罢不罢，曰徒思。日用职业，本分工夫，朝惟暮图，期无旷废，曰本思。此九思者，日用之间，不在此则在彼。善摄心者，其惟本思乎？身有定业，日有定务，暮则省白昼之所行，朝则计今日之所事。念兹在兹，不肯一事苟且，不肯一时放过，庶心有着落，不得他适，而德业日有长进矣。

学者只多忻喜心，便不是凝道之器。

小人亦有坦荡荡处，无忌惮是已；君子亦有常戚戚处，终身之忧是已。

只脱尽轻薄心，便可达天德。汉唐以下儒者，脱尽此二字不多人。

斯道这个担子，海内必有人负荷。有能慨然自任者，愿以绵弱筋骨助一肩之力，虽走僵死不恨。

耳目之玩，偶当于心，得之则喜，失之则悲，此儿女子常态也。世间甚物与我相关，而以得喜，以失悲耶？圣人看得此身亦不关悲喜，是吾道之一囊橐①耳。爱囊橐之所受者，不以囊橐易所受，如之何以囊橐弃所受也？而况耳目之玩，又囊橐之外物乎？

【注释】

①囊橐（náng tuó）：袋子。

寐是情生景，无情而景者，兆也。寤后景生情，无景而情者，妄也。

人情有当然之愿，有过分之欲。圣王者，足其当然之愿，而裁其过分之欲，非以相苦也。天地间欲愿止有此数，此有馀则彼不足，圣王调剂而均厘之，裁其过分者以益其当然。夫是之谓至平，而人无淫情、无觖望①。

【注释】

①觖（jué）望：不满意，抱怨。

恶恶太严，便是一恶；乐善甚亟，便是一善。

“投佳果于便溺，濯而献之，食乎？”曰：“不食”。“不见而食之，病乎？”曰：“不病。”“隔山而指骂之，闻乎？”曰：“不闻。”“对面而指骂之，怒乎？”曰：“怒。”曰：“此见闻障也。夫能使见而食，闻而不怒，虽入黑海、蹈白刃可也。此炼心者之所当知也。”

只有一毫粗疏处，便认理不真，所以说惟精，不然众论淆之而必疑；只有一毫二三心，便守理不定，所以说惟一，不然利害临之而必变，

种豆其苗必豆，种瓜其苗必瓜。未有所存如是，而所发不如是者。心本人欲而事欲天理，心本邪曲而言欲正直，其将能乎？是以君子慎其所存。所存是，种种皆是；所存非，种种皆非，未有分毫爽者。

属纩之时，般般都带不得，惟是带得此心，却教坏了，是空身归去矣。可为万古一恨。

吾辈所欠，只是涵养不纯不定。故言则矢口所发，不当事，不循物，不宜人；事则恣意所行，或太过，或不及，或悖理。若涵养得定，如熟视正鹄[①]而后开弓，矢矢中的；细量分寸而后投针，处处中穴。此是真正体验，实用工夫，总来只是个沉静。沉静了，发出来件件都是天则。

【注释】

①正鹄：靶心。

定静中境界与六合一般大，里面空空寂寂，无一个事物，才问他索时，般般足、样样有。

“暮夜无知”，此四字百恶之总根也。人之罪莫大于欺。欺者，利其无知也。大奸大盗皆自无知之心充之。天下大恶只有二种：欺无知，不畏有知。欺无知还是有所忌惮心，此是诚伪关。不畏有知是个无所忌惮心，此是死生关。犹知有畏，良心尚未死也。

天地万物之理，出于静，入于静；人心之理，发于静，归于静。静者，万理之橐籥，万化之枢纽也。动中发出来，与天则便不相似。故虽暴肆之人，平旦皆有良心，发于静也。过后皆有悔心，归于静也。

动时只见发挥不尽，那里觉错？故君子主静而慎动。主静，则动者静之枝叶也；慎动，则动者静之约束也。又何过焉？

童心[1]最是作人一大病，只脱了童心，便是大人君子。或问之。曰："凡炎热念、骄矜念、华美念、欲速念、浮薄念、声名念，皆童心也。"

【注释】

①童心：纯真的本心。这里指天生的欲求。

吾辈终日念头离不了四个字，曰："得、失、毁、誉。"其为善也，先动个得与誉底念头；其不敢为恶也，先动个失与毁底念头。总是欲心、伪心，与圣人天地悬隔。圣人发出善念，如饥者之必食，渴者之必饮。其必不为不善，如烈火之不入，深渊之不投，任其自然而已。贤人念头只认个可否，理所当为，则自强不息；所不可为，则坚忍不行。然则得失毁誉之念可尽去乎？曰：胡可去也？天地间惟中人最多。此四字者，圣贤藉以训世，君子藉以检身。曰"作善降之百祥，作不善降之百殃"，以得失训世也。曰"疾没世而名不称"，曰"年四十而见恶"，以毁誉训世也。此圣人待衰世之心也。彼中人者，不畏此以检身，将何所不至哉？故尧舜能去此四字，无为而善，忘得失毁誉之心也。桀纣能去此四字，敢于为恶，不得失毁誉之恤也。

心要虚，无一点渣滓；心要实，无一毫欠缺。

只一事不留心，便有一事不得其理；一物不留心，便有一物不得其所。

只大公了，便是包涵天下气象。

士君子作人，事事时时只要个用心。一事不从心中出，便是乱举动；一刻心不在腔子里，便是空躯壳。

古人也算一个人，我辈成底是甚么人？若不愧不奋，便是无志。

圣、狂之分，只在苟、不苟两字。

余甚爱万籁无声，萧然一室之趣。或曰："无乃太寂灭乎？"曰："无边风月自在。"

无技痒心，是多大涵养！故程子见猎而痒。学者各有所痒，便当各就痒处搔之。

欲，只是有进气无退气；理，只是有退气无进气。善学者审于进退之间而已。

圣人悬虚明以待天下之感，不先意以感天下之事。其感也，以我胸中道理顺应之；其无感也，此心空空洞洞，寂然旷然。譬之鉴，光明在此，物来则照之，物去则光明自在。彼事未来而意必，是持鉴觅物也。尝谓镜是物之圣人。镜日照万物而常明，无心而不劳故也。圣人日应万事而不累，有心而不役故也。夫惟为物役而后累心，而后应有偏着。

恕心养到极处，只看得世间人都无罪过。

物有以慢藏而失，亦有以谨藏而失者；礼有以疏忽而误，亦有以敬畏而误者。故用心在有无之间。

说不得真知明见，一些涵养不到，发出来便是本象，仓卒之际，自然掩护不得。

一友人沉雅从容，若温而不理者。随身急用之物，座客失备者三人，此友取之袖中，皆足以应之。或难以数物，呼左右取之，携中犁然在也。余叹服曰："君不穷于用哉！"曰："我无以用为也。此第二着，偶备其万一耳。备之心，慎之之心也。慎在备先。凡所以需吾备者，吾已先图，无赖于备。故自有备以来，吾无万一，故备常余而不用。"或曰："是无用备矣。"曰："无万一而犹备，此吾之所以为慎也。若恃备而不慎，则备也者，长吾之怠者也，久之必穷于所备之外。恃慎而不备，是慎也者，限吾之用者也，久之必穷于所慎之外。故宁备而不用，不可用而无备。"余叹服曰："此存心之至者也。《易》曰：'藉之用茅[①]，又何咎焉？'其斯之谓与？"吾识之，以为疏忽者之戒。

【注释】

①藉：古时祭祀用的草垫。茅：白茅，多年生草本植物。

欲理会七尺，先理会方寸；欲理会六合，先理会一腔。

静者生门，躁者死户。

士君子一出口无反悔之言，一动手无更改之事，诚之于思故也。

只此一念公正了，我于天地鬼神通是一个，而鬼神之有邪气者，且跧伏退避之不暇。庶民何私何怨，而忍枉其是非，腹诽巷议者乎？

和气平心，发出来如春风拂弱柳，细雨润新苗，何等舒泰！何等感通！疾风迅雷、暴雨酷霜，伤损必多。或曰："不似无骨力乎？"余曰："譬之玉，坚刚未尝不坚刚，温润未尝不温润。"余严毅多，和平少，近悟得此。

俭则约，约则百善俱兴；侈则肆，肆则百恶俱纵。

天下国家之存亡，身之生死，只系"敬""怠"两字。敬则慎，慎则百务修举；怠则苟，苟则万事隳颓。自天子以至于庶人，莫不如此。此千古圣贤之所兢兢，而世人之所必由也。

每日点检，要见这念头自德性上发出，自气质上发出，自习识上发出，自物欲上发出。如此省察，久久自识得本来面目。初学最要知此。

道义心胸发出来，自无暴戾气象，怒也怒得有礼。若说圣人不怒，圣人只是六情？

过差遗忘只是昏忽，昏忽只是不敬。若小心慎密，自无过差遗忘之病。孔子曰："敬事。"樊迟粗鄙，告之曰："执事敬"。子张意广，告之曰："无小大，无敢慢。"今人只是懒散，过差遗忘安得不多？

吾初念只怕天知，久久来不怕天知，又久久来只求天知。但未到那何必天知地步耳。

气盛便没涵养。

定静安虑，圣人胸中无一刻不如此。或曰："喜怒哀乐到面前如何？”曰：“只恁喜怒哀乐，定静安虑，胸次无分毫加损。”

忧世者与忘世者谈，忘世者笑；忘世者与忧世者谈，忧世者悲。嗟夫！六合骨肉之泪，肯向一室胡越之人哭哉？彼且谓我为病狂，而又安能自知其丧心哉？

“得”之一字，最坏此心。不但鄙夫患得，年老戒得为不可。只明其道而计功，有事而正心，先事而动得心，先难而动获心，便是杂霸杂夷。一念不极其纯，万善不造其极，此作圣者之大戒也。

充一个公己公人心，便是胡越一家；任一个自私自利心，便是父子仇雠。天下兴亡、国家治乱、万姓死生，只争这个些子。

厕牏[①]之中可以迎宾客，床笫之间可以交神明，必如此而后谓之不苟。

【注释】

①厕牏（yú）：对此二字解释不一，此处疑指洗涤内衣之地，引申为隐秘之处。

为人辨冤白谤，是第一天理。

治心之学，莫妙于“瑟僩[①]”二字。瑟训严密，譬之重关天险，无隙可乘。此谓不疏，物欲自消其窥伺之心。僩训武毅，譬之将军按剑，见者股栗。此谓不弱，物欲自夺其猖獗之气。而今吾辈，灵台四无墙户，如露地钱财，有手皆取；又孱弱无能，如杀残俘虏，落胆从人。物欲不须投间抵隙，都是他家产业；不须硬迫柔求，都是他家奴婢。更有那个关防？何人喘息？可哭可恨！

【注释】

①瑟僩（xiàn）：出自《诗经·卫风·淇奥》：“瑟兮僩兮，赫兮咺兮。”瑟，矜持庄严的样子。僩，威严。

沉静非缄默之谓也。意渊涵而态闲正，此谓真沉静。虽终日言语，或千军万马中相攻击，或稠人广众中应繁剧，不害其为沉静，神定故也。一有飞扬动扰之意，虽端坐终日，寂无一语，而色貌自浮；或意虽不飞扬动扰，而昏昏欲睡，皆不得谓沉静。真沉静底自是惺憁[①]，包一段全副精神在里。

【注释】

①惺憁：警醒。

明者料人之所避，而狡者避人之所料，以是相与，是贼本真而长奸伪也。是以君子宁犯人之疑，而不贼己之心。

室中之斗，市上之争，彼所据各有一方也。一方之见皆是己非人，而济之以不相下之气，故宁死而不平。呜呼！此犹愚人也。贤臣之争政，贤士之争理亦然。此言语之所以日多，而后来者益莫知所决择也。故为下愚人作法吏易，为士君子所折衷难。非断之难，而服之难也。根本处在不见心而任口，耻屈人而好胜，是室人市儿之见也。

大利不换小义，况以小利坏大义乎？贪者可以戒矣。

杀身者不是刀剑，不是寇仇，乃是自家心杀了自家。

知识，帝则之贼也。惟忘知识以任帝则，此谓天真，此谓自然。一着念便乖违，愈着念愈乖违。乍见之心，歇息一刻，别是一个光景。

为恶惟恐人知，为善惟恐人不知，这是一副甚心肠，安得长进？

或问：“‘虚灵’二字如何分别？”曰：“惟虚故灵。顽金无声，铸为钟磬则有声；钟磬有声，实之以物则无声。圣心无所不有而一无所有，故‘感而遂通天下之故’。”

浑身五脏六腑、百脉千络、耳目口鼻、四肢百骸、毛发甲爪，以至衣裳冠履，都无分毫罪过，都与尧舜一般，只是一点方寸之心千过万罪，禽兽不如。千古圣贤只是治心，更不说别个。学者只是知得这个可恨，便有许大见识。

人心是个猖狂自在之物，陨身败家之贼，如何纵容得他？

良知何处来？生于良心。良心何处来？生于天命。

心要实，又要虚。无物之谓虚，无妄之谓实。惟虚故实，惟实故虚。心要小，又要大。大其心能体天下之物，小其心不偾[①]天下之事。

【注释】

①偾（fèn）：覆败。偾事即败事。

要补必须补个完，要拆必须拆个净。

学术以不愧于心、无恶于志为第一，也要点检这心志是天理、是人欲。便是天理，也要点检是边见、是天则。

尧眉舜目，文王之身，仲尼之步，而盗跖其心，君子不贵也。有数圣贤之心，何妨貌似盗跖。

伦理

宇宙内大情种，男女居其第一。圣王不欲裁割而矫拂之，亦不能裁割矫拂也。故通之以不可已之情，约之以不可犯之礼，绳之以必不赦之法，使纵之而相安相久也。圣人亦不若是之亟也，故五伦中父子、君臣、兄弟、朋友，笃了又笃，厚了又厚，惟恐情意之薄。惟男女一伦是圣人苦心处，故有别先自夫妇始。本与之以无别也，而又教之以有别，况有别者而肯使之混乎？圣人之用意深矣。是死生之衢而大乱之首也，不可以不慎也。

亲母之爱子也，无心于用爱，亦不知其为用爱，若渴饮饥食然，何尝勉强？子之得爱于亲母也，若谓应得习于自然，如夏葛冬裘然，何尝归功？至于继母之慈，则有德色，有矜语矣。前子之得慈于继母，则有感心，有颂声矣。

一家之中要看得尊长尊，则家治。若看得尊长不尊，如何齐他得？其要在尊长自修。

人子之事亲也，事心为上，事身次之，最下事身而不恤其心，又其下事之以文而不恤其身。

孝子之事亲也，礼卑伏如下仆，情柔婉如小儿。

进食于亲，侑而不劝；进言于亲，论而不谏；进侍于亲，和而不庄。亲有疾，忧而不悲；身有疾，形而不声。

侍疾忧而不食，不如努力而加餐。使此身不能侍疾，不孝之大者也。居丧羸而废礼，不如节哀而慎终。此身不能襄事，不孝之大者也。

朝廷之上，纪纲定而臣民可守，是曰朝常；公卿大夫、百司庶官，各有定法，可使持循，是曰官常；一门之内，父子兄弟、长幼尊卑，各有条理，不变不乱，是曰家常；饮食起居，动静语默，择其中正者守而勿失，是曰身常。得其常则治，失去常则乱。未有苟且冥行而不取败者也。

雨泽过润，万物之灾也；恩宠过礼，臣妾之灾也；情爱过义，子孙之灾也。

人心喜则志意畅达，饮食多进而不伤，血气冲和而不郁，自然无病而体充身健，安得不寿？故孝子之于亲也，终日乾乾，惟恐有一毫不快事到父母心头。自家既不惹起，外触又极防闲，无论贫富贵贱常变顺逆，只是以悦亲为主。盖悦之一字，乃事亲第一传心口诀也。即不幸而亲有过，亦须在悦字上用工夫。几谏积诚、耐烦留意、委曲方略，自有回天妙用。若直诤以甚其过，暴弃以增其怒，不悦莫大焉。故曰：不顺乎亲，不可以为子。

郊社[①]，报天地生成之大德也。然灾沴有禳，顺成有祈。君为私田则仁，民为公田则忠。不嫌于求福，不嫌于免祸。子孙之祭先祖，以追养继孝也。自我祖父母以有此身也，曰赖先人之泽以享其馀庆也，曰吾朝夕奉养承欢，而一旦不复献杯棬，心悲思而无寄，故祭荐以伸吾情也，曰吾贫贱不足以供菽水，今鼎食而亲不逮，心悲思而莫及，故祭荐以志吾悔也。岂为其游魂虚位能福我而求之哉？求福已非君子之心，而以一饭之设，数拜之勤，求福于先人，仁孝诚敬之心果如是乎？不谋利，不责报，不望其感激，虽在他人犹然，而况我先人乎？《诗》之祭必言福，而《楚茨》诸诗为尤甚，岂可为训耶？吾独有取于《采蘩》《采蘋》二诗，尽物尽志以达吾子孙之诚敬而已，他不及也。明乎此道，则天下万事万物皆尽我所当为，祸福利害皆听其自至，人事修而外慕之心息，向道专而作辍之念忘矣。何者？明于性分而无所冀幸也。

【注释】

①郊社：古时冬至日祭天曰郊，夏至日祭地曰社。

友道极关系，故与君父并列而为五[①]。人生德业成就少朋友不得。君以法行，治我者也；父以恩行，不责善者也；兄弟怡怡，不欲以切偲[②]伤爱；妇人主内事，不得相追随规过；子虽敢争，终有可避之嫌；至于对严师，则矜持收敛而过无可见；在家庭则狎昵亲习而正言不入。惟夫朋友者，朝夕相与，既不若师之进见有时，情理无嫌，又不若父子兄弟之言语有忌。一德亏，则友责之；一业废，则友责之。美则相与奖劝，非则相与匡救。日更月变，互感交摩，骎骎然不觉其劳且难，而入于君子之域矣。是朋友者，四伦之所赖也。嗟夫！斯道之亡久矣。言语嬉媟[③]、樽俎妪煦[④]，无论事之善恶，以顺我者为厚交；无论人之奸贤，以敬我者为君子。蹑足附耳，自谓知心；接膝拍肩，滥许刎颈。大家同陷于小人而不知，可哀也已！是故物相反者相成，见相左者相益。孔子取友曰“直谅多闻”。此三友者，皆与我不相附会者也，故曰益。是故，得三友难，能为人三友更难。天地间不论天南地北，缙绅草莽，得一好友，道同志合，亦人生一大快也。

【注释】

①五：即五伦，古时指君臣、父子、兄弟、夫妻、朋友五种关系。②切偲（sī）：相互敬重勉励。③媟（xiè）：轻慢，污秽。④妪煦（yù xù）：和悦之色。

长者有议论，唯唯而听，无相直也；有咨询，謇謇而对，无遽尽也。此卑幼之道也。

阳称其善以悦彼之心，阴养其恶以快己之意，此友道之大戮也。青天白日之下有此魑魅魍魉之俗，可哀也已！

古称君门远于万里，谓情隔也。岂惟君门，父子殊心，一堂远于万里；兄弟离情，一门远于万里；夫妻反目，一榻远于万里。苟情联志通，则万里之外犹同堂共门而比肩一榻也。以此推之，同时不相知，而神交于千百世之上下亦然。是知离合在心期，不专在躬逢。躬逢而心期，则天下至遇也：君臣之尧舜，父子之文周，师弟之孔颜。

隔之一字，人情之大患。故君臣、父子、夫妇、朋友、上下之交，务去隔。此字不去，而不怨叛者，未之有也。

仁者之家，父子愉愉如也，夫妇雝雝如也，兄弟怡怡如也，僮仆䜣䜣如也，一家之气象融融如也。义者之家，父子凛凛如也，夫妇嗃嗃①如也，兄弟翼翼如也，僮仆肃肃如也，一家之气象栗栗如也。仁者以恩胜，其流也知和而和；义者以严胜，其流也疏而寡恩。故圣人之居家也，仁以主之，义以辅之；洽其太和之情，但不溃其防斯已矣。其井井然，严城深堑，则男女之辨也，虽圣人不敢与家人相忘。

【注释】

①嗃（hè）嗃：严酷的样子。

父在居母丧，母在居父丧，以从生者之命为重。故孝子不以死者忧生者，不以小节伤大体，不泥经而废权，不徇名而害实，不全我而伤亲。所贵乎孝子者，心亲之心而已。

天下不可一日无君，故夷齐非汤武，明臣道也。此天下之大防也。不然，则乱臣贼子接踵矣，而难为君。天下不可一日无民，故孔孟是汤武，明君道也。此天下之大惧也。不然，则暴君乱主接踵矣，而难为民。

爵禄恩宠，圣人未尝不以为荣。圣人非以此为加损也。朝廷重之以示劝，而我轻之以示高，是与君忤也，是穷君鼓舞天下之权也。故圣人虽不以爵禄恩宠为荣，而未尝不荣之，以重帝王之权，以示天下帝王之权之可重，此臣道也。

人子和气、愉色、婉容，发得深时，养得定时，任父母冷面寒铁，雷霆震怒，只是这一腔温意、一面春风，则自无不回之天，自无屡变之天，谗谮何由入？嫌隙何由作？其次莫如敬慎。夔夔斋栗，敬慎之至也，故瞽瞍亦允若。温和示人以可爱，消融父母之恶怒；敬慎示人以可矜，激发父母之悲怜：所谓积诚意以感动之者。养和，至敬之谓也。盖格亲之功，惟和为妙、为深、为速、为难，非至性纯孝者不能。敬慎犹可勉强耳。而今人子以凉薄之色、惰慢之身、骄蹇之性，及犯父母之怒，既不肯挽回，又倨傲以甚之，此其人在孝弟之外，固不足论。即有平日温愉之子，当父母不悦而亦愠见，或生疑而迁怒者，或无意迁怒而不避嫌者，或不善避嫌，愈避而愈冒嫌者，积隙成衅，遂致不祥，岂父母之不慈？此孤臣孽子之法戒，坚志熟仁之妙道也。

孝子之事亲也，上焉者先意，其次承志，其次共命。共命则亲有未言之志不得承也，承志则亲有未萌之意不得将也，至于先意而悦亲之道至矣。或曰："安得许多心思能推至此乎？"曰："事亲者，以悦亲为事者也。以悦亲为事，则孳孳皇皇无以尚之者，只是这个念头，亲有多少意志，终日体认不得。"

或问："共事一人未有不妒者，何也？"曰："人之才能、性行、容貌、辞色，种种不同，所事者必悦其能事我者，恶其不能事我者。能事者见悦，则不能事者必疏。是我之见疏，彼之能事成之也，焉得不妒？既妒，安得不相倾？相倾，安得不受祸？故见疏者妒，妒其形己也。见悦者亦妒，妒其妒己也。""然则奈何？"曰："居宠则思分而推之以均众，居尊则思和而下之以相忘，人何妒之有？缘分以安心，缘遇以安命，反己而不尤人，何妒人之有？此入宫入朝者之所当知也。"

孝子侍亲不可有沉静态，不可有庄肃态，不可有枯淡态，不可有豪雄态，不可有劳倦态，不可有病疾态，不可有愁苦态，不可有怨怒态。

子弟生富贵家，十九多骄惰淫泆，大不长进。古人谓之豢养，言甘食美服，养此血肉之躯，与犬豕等。此辈阘茸[1]，士君子见之为羞，而彼方且志得意满，以此夸人，父兄之孽莫大乎是！

【注释】

①阘（tà）茸：卑贱无能。

男女远别，虽父女、母子、兄妹、姊弟亦有别嫌明微之礼，故男女八岁不同食。子妇事舅姑，礼也，本不远别，而世俗最严翁妇之礼，影响间即疾趋而藏匿之。其次夫兄弟妇相避。此外一无所避，已乱纲常，乃至叔嫂、姊夫妻妹、妻弟之妻互相嘲谑以为常，不几于夷风乎？不知古者远别，止于授受不亲，非避匿之谓。而男女所包甚广，自妻妾外，皆当远授受之嫌。爱礼者不可不明辨也。

子妇事人者也，未为父兄以前莫令奴婢奉事，长其骄惰之性。当日使勤劳，常令卑屈，此终身之福，不然，是杀之也。昏愚父母，骄奢子弟，不可不知。

问安，问侍者，不问病者。问病者，非所以安之也。

丧服之制，以缘人情，亦以立世教。故有引而致之者，有推而远之者。要不出恩、义两字，而不可晓亦多，观会通之君子，当制作之权，必有一番见识。泥古非达观也。

亲没而遗物在眼，与其不忍见而毁之也，不若不忍忘而存之。

示儿云：门户高一尺，气焰低一丈。华山只让天，不怕没人上。

慎言之地，惟家庭为要；应慎言之人，惟妻子、仆隶为要，此理乱之原而祸福之本也。人往往忽之，悲夫！

门户可以托父兄，而丧德辱名非父兄所能庇；生育可以由父母，而求疾蹈险非父母所得由。为人子弟者不可不知。

继母之虐，嫡妻之妒，古今以为恨者也；而前子不孝，丈夫不端，则舍然不问焉，世情之偏也久矣。怀非母之迹，而因似生嫌，借恃父之名，而无端造谤，怨讟忤逆，父亦被诬者，世岂无耶？恣淫狎之性而恩重绿丝，挟城社之威而侮及黄里，《谷风》《柏舟》，妻亦失所者，世岂无耶？惟于孝夫端，然后继母嫡妻无辞于姻族矣。居官不可不知。

齐，以刀切物，使参差者就于一致也。家人恩胜之地，情多而义少，私易而公难，若人人遂其欲，势将无极。故古人以父母为严君，而家法要威如，盖对症之治也。

闺门之中少了个礼字，便自天翻地覆，百祸千殃、身亡家破，皆从此起。

家长，一家之君也。上焉者使人欢爱而敬重之，次则使人有所严惮，故曰严君。下则使人慢，下则使人陵，最下则使人恨。使人慢，未有不乱者；使人陵，未有不败者；使人恨，未有不亡者。呜呼！齐家岂小故哉！今之人皆以治生为急，而齐家之道不讲久矣。

儿女辈常着他拳拳曲曲，紧紧恰恰，动必有畏，言必有惊，到自专时，尚不可知。若使之快意适请，是杀之也。此愚父母之父所当知也。

责人到闭口卷舌、面赤背汗时，犹刺刺不已，岂不快心？然浅隘刻薄甚矣。故君子攻人，不尽其过，须含蓄以馀人之愧惧，令其自新，方有趣味，是谓以善养人。

曲木恶绳，顽石恶攻，责善之言不可不慎也。

恩礼出于人情之自然，不可强致。然礼系体面，犹可责人；恩出于根心，反以责而失之矣。故恩薄可结之使厚，恩离可结之使固，一相责望，为怨滋深。古父子、兄弟、夫妇之间，使骨肉为寇仇，皆坐责之一字耳。

宋儒云："宗法明而家道正。"岂惟家道，将天下之治乱恒必由之。宇宙内无一物不相贯属，不相统摄者。人以一身统四肢，一肢统五指；木以株统干，以干统枝，以枝统叶；百谷以茎统穗，以穗统稃，以稃统粒，盖同根一脉，联属成体。此操一举万之术，而治天下之要道也。天子统六卿，六卿统九牧[①]，九牧统郡邑，郡邑统乡正，乡正统宗子[②]。事则以次责成，恩则以次流布，教则以次得传宣，法则以次绳督。夫然后上不劳下不乱而政易行。自宗法废，而人各为身，家各为政，彼此如飘絮飞沙，不相维系。是以上劳而无要领可持，下散而无脉胳相贯，奸盗易生而难知，教化易格而难达。故宗法立而百善兴，宗法废而万事弛。或曰："宗子而贱、而弱、而幼、而不肖，何以统宗？"曰："古之宗法也，如封建，世世以嫡长。嫡长不得其人，则一宗受其敝，且豪强得以豚鼠视宗子，而鱼肉孤弱，其谁制之？盖有宗子又当立家长。宗子以世世长子孙为之。家长以阖族之有德望而众所推服，能佐宗子者为之。胥重其权而互救其失。此二者，宗人一委听焉，则有司有所责成，而纪法易于修举矣。”

【注释】

①九牧：即九州。古时天下分九州，州的长官即是牧。②宗子：古代宗法制度下，嫡长子为同族兄弟的共宗，称之为宗子。

责善之道，不使其有我所无，不使其无我所有，此古人之所以贵友也。

“母氏圣善，我无令人”，孝子不可不知；“臣罪当诛兮，天王圣明”，忠臣不可不知。

士大夫以上，有祠堂，有正寝①，有客位。祠堂有斋房、神库，四世之祖考居焉，先世之遗物藏焉，子孙立拜之位在焉，牺牲鼎俎盥尊之器物陈焉，堂上堂下之乐列焉，主人之周旋升降由焉。正寝，吉礼则生忌之考妣迁焉，凶礼则尸柩停焉，柩前之食案、香几、衣冠设焉，朝夕哭奠之位容焉，柩旁床帐诸器之陈设、五服之丧次，男女之哭位分焉，堂外吊奠之客、祭器之罗列在焉。客位，则将葬之迁柩宿焉，冠礼之曲折、男女之醮位、宾客之宴飨行焉。此三所者，皆有两阶，皆有位次。故居室宁陋，而四礼之所断乎其不可陋。近见名公，有以旋马容膝②、绳枢瓮牖为清节高品者，余甚慕之，而爱礼一念基于爱名。故力可勉为，不嫌弘裕，敢为大夫以上者告焉。

【注释】

①正寝：宫室的正厅。②旋马容膝：形容狭小局促。

谈道

大道有一条正路，进道有一定等级。圣人教人只示以一定之成法，在人自理会；理会得一步再说与一步，其第一步不理会到十分，也不说与第二步。非是苦人，等级原是如此。第一步差一寸，也到第二步不得。孔子于赐，才说与他一贯，又先难他“多学而识”一语。至于仁者之事，又说：“赐也，非尔所及。”今人开口便讲学脉，便说本体，以此接引后学，何似痴人前说梦？孔门无此教法。

有处常之五常，有处变之五常。处常之五常是经，人所共知；处变之五常是权，非识道者不能知也。不擒二毛[①]不以仁称，而血流漂杵不害其为仁；二子乘舟不以义称，而管、霍[②]被戮不害其为义。由此推之，不可胜数也。嗟夫！世无有识者，每泥于常而不通其变；世无识有识者，每责其经而不谅其权。此两人皆道之贼也，事之所以难济也。噫！非精义择中之君子，其谁能用之？其谁能识之？

【注释】

①二毛：指老年人头发斑白，黑白相间。②管、霍：“霍”当为“蔡”，管叔鲜、蔡叔度皆是周文王之子。周成王年少初立，周公辅政，管叔、蔡叔等与武庚作乱。周公平叛，诛武庚、管叔，流放蔡叔，霍叔当亦在被诛之列。

谈道者虽极精切，须向苦心人说，可使手舞足蹈，可使大叫垂泣，何者？以求通未得之心，闻了然透彻之语，如饥得珍羞，如旱得霖雨。相悦以解，妙不容言。其不然者，如麻木之肌，针灸终日尚不能觉，而以爪搔之，安知痛痒哉？吾窃为言者惜也。故大道独契，至理不言。非圣贤之忍于弃人，徒哓哓无益耳。是以圣人待问而后言，犹因人而就事。

庙堂之乐，淡之至也，淡则无欲，无欲之道与神明通；素之至也，素则无文，无文之妙与本始通。

真器不修，修者伪物也；真情不饰，饰者伪交也。家人父子之间不让而登堂，非简也，不侑而饱食，非饕也，所谓真也。惟待让而入，而后有让亦不入者矣；惟待侑而饱，而后有侑亦不饱者矣，是两修文也。废文不可为礼，文至掩真，礼之贼也，君子不尚焉。

百姓得所，是人君太平；君民安业，是人臣太平；五谷丰登，是百姓太平，大小和顺，是一家太平；父母无疾，是人子太平；胸中无累，是一腔太平。

至道之妙，不可意思，如何可言？可以言，皆道之浅也。玄之又玄，犹龙公亦说不破，盖公亦囿于玄玄之中耳。要说，说个甚？然却只在匹夫匹妇共知共行之中，外了这个，便是虚无。

除了个“中”字，更定道统不得。旁流之至圣，不如正路之贤人。故道统宁中绝，不以旁流继嗣，何者？气脉不同也。予尝曰：“宁为道统家奴婢，不为旁流家宗子。”

或问：“圣人有可克之己否？”曰：“惟尧、舜、文王、周、孔无己可克，其余圣人都有己。任是伊尹的己，和是柳下惠的己，清是伯夷的己。志向偏于那一边便是己。己者，我也，不能忘我而任意见也，狃于气质之偏而离中也。这己便是人欲，胜不得这己都不成个刚者。”

自然者，发之不可遏，禁之不能止。才说是当然，便没气力。然反之之圣，都在当然上做工夫，所以说勉然。勉然做到底，知之成功，虽一分数境界，到那难题试验处，终是微有不同。此难以形迹语也。

尧、舜、周、孔之道，只是傍人情、依物理，拈出个天然自有之中行将去，不惊人，不苦人，所以难及。后来人胜他不得，却寻出甚高难行之事，玄冥隐僻之言，怪异新奇、偏曲幻妄以求胜，不知圣人妙处，只是个庸常。看六经、四书语言何等平易，不害其为圣人之笔，亦未尝有不明不备之道。嗟夫！贤智者过之，佛、老、杨、墨、庄、列、申、韩是已。彼其意见才是圣人中万分之一，而漫衍闳肆以至偏重而贼道。后学无识，遂至弃菽粟而餐玉屑，厌布帛而慕火浣①，无补饥寒，反生奇病，悲夫！

【注释】

①火浣：火浣布，火烧不坏。

“中”之一字，是无天于上，无地于下，无东西南北于四方。此是南面独尊，道中底天子，仁、义、礼、智、信都是东西侍立，百行万善都是北面受成者也。不意宇宙间有此一妙字，有了这一个，别个都可勾销，五常、百行、万善但少了这个，都是一家货，更成甚么道理？

愚不肖者不能任道，亦不能贼道，贼道全是贤智。后世无识之人，不察道之本然面目，示天下以大中至正之矩，而但以贤智者为标的。世间有了贤智，便看的中道寻常，无以过人，不起名誉，遂薄中道而不为。道之坏也，不独贤智者之罪，而推崇贤智，其罪亦不小矣。《中庸》为贤智而作也。中足矣，又下个庸字，旨深哉！此难与曲局之士道。

道者，天下古今共公之理，人人都有分的。道不自私，圣人不私道，而儒者每私之曰圣人之道。言必循经，事必稽古，曰卫道。嗟夫！此千古之大防也，谁敢决之？然道无津涯，非圣人之言所能限；事有时势，非圣人之制所能尽。后世苟有明者出，发圣人所未发，而默契圣人欲言之心；为圣人所不为，而吻合圣人必为之事，此固圣人之深幸而拘儒之所大骇也。呜呼！此可与通者道。汉唐以来鲜若人矣。

易道浑身都是，满眼都是，盈六合都是。三百八十四爻，圣人特拈起三百八十四事来做题目。使千圣作《易》，人人另有三百八十四说，都外不了那阴阳道理。后之学者，求易于《易》，穿凿附会以求通。不知易是个活的，学者看做死的；易是个无方体的，学者看做有定象的。故论简要，乾坤二卦已多了；论穷尽，虽万卷书说不尽易的道理，何止三百八十四爻？

“中”之一字，不但道理当然，虽气数离了中亦成不得寒暑，灾详失中则万物殃，饮食起居失中则一身病。故四时各顺其序，五脏各得其职，此之谓中。差分毫便有分毫验应，是以圣人执中以立天地万物之极。

学者只看得世上万事万物种种是道，此心才觉畅然。

在举世尘俗中另识一种意味，又不轻与鲜能知味者尝，才是真趣。守此便是至宝。

五色胜则相掩，然必厚益之，犹不能浑然无迹，维黑一染不可辩矣。故黑者，万事之府也，敛藏之道也。帝王之道黑，故能容保无疆；圣人之心黑，故能容会万理。盖含英采、韬精明、养元气、蓄天机，皆黑之道也，故曰：“惟玄惟默。”玄，黑色也。默，黑象也。《书》称舜曰：“玄德升闻。”《老子》曰：“知其白，守其黑。”得黑之精者也。故外著而不可掩，皆道之浅者也。虽然，儒道内黑而外白，黑为体，白为用；老氏内白而外黑，白安身，黑善世。

道在天地间，不限于取数之多，心力勤者得多，心力衰者得少，昏弱者一无所得。假使天下皆圣人，道亦足以供其求；苟皆为盗跖，道之本体自在也，分毫无损。毕竟是世有圣人，道斯有主；道附圣人，道斯有用。

汉唐而下，议论驳而至理杂，吾师宋儒。宋儒求以明道而多穿凿附会之谈，失平正通达之旨，吾师先圣之言。先圣之言煨于秦火、杂于百家，莠苗朱紫，使后学尊信之而不敢异同，吾师道。苟协诸道而协，则千圣万世无不吻合，何则？道无二也。

或问：“中之道，尧舜传心，必有至玄至妙之理。”余叹曰：“只就我两人眼前说，这饮酒不为限量，不至过醉，这就是饮酒之中；这说话不缄默，不狂诞，这就是说话之中；这作揖跪拜，不烦不疏，不疾不徐，这就是作揖跪拜之中。一事得中，就是一事的尧舜。推之万事皆然。又到那安行处，便是十全的尧舜。”

形神一息不相离，道器一息不相无。故道无精粗，言精粗者，妄也。因与一客共酌，指案上罗列者谓之曰：“这安排必有停妥处，是天然自有底道理。那僮仆见一豆上案，将满案樽俎东移西动，莫知措手，那熟底入眼便有定位，未来便有安排。新者近前，旧者退后，饮食居左，匙箸居右，重积不相掩，参错不相乱，布置得宜，楚楚齐齐，这个是粗底。若说神化性命，不在此却在何处？若说这里有神化性命，这个工夫还欠缺否？推之耕耘簸扬之夫，炊爨烹调之妇，莫不有神化性命之理，都能到神化性命之极。学者把神化性命看得太玄，把日用事物看得太粗，原不曾理会。理会得来，这案上罗列得天下古今，万事万物都在这里，横竖推行、扑头盖面、脚踏身坐底都是神化性命，乃知神化性命极粗浅底。”

有大一贯，有小一贯。小一贯，贯万殊；大一贯，贯小一贯。大一贯一，小一贯千百。无大一贯，则小一贯终是零星；无小一贯，则大一贯终是浑沌。

静中看天地万物都无些子。

一门人向予数四穷问无极、太极及理气同异，性命精粗，性善是否。予曰："此等语，予亦能剿先儒之成说及一己之谬见以相发明，然非汝今日急务。假若了悟性命，洞达天人，也只于性理书上添了某氏曰一段言语，讲学衙门中多了一宗卷案。后世穷理之人，信彼驳此，服此辟彼，再世后汗牛充栋都是这桩话说，不知于国家之存亡，万姓之生死，身心之邪正，见在得济否？我只有个粗法子，汝只把存心、制行、处事、接物、齐家、治国、平天下大本小节都事事心下信得过了，再讲这话不迟。"曰："理气、性命，终身不可谈耶？"曰："这便是理气、性命显设处，除了撒数没总数。"

阳为客，阴为主；动为客，静为主；有为客，无为主；万为客，一为主。

理路宜截，欲路多岐；理路光明，欲路微暧；理路爽畅，欲路懊烦；理路逸乐，欲路忧劳。

无万则一何处着落？无一则万谁为张主？此二字一时离不得。一只在万中走，故有正一，无邪万；有治一，无乱万；有中一，无偏万；有活一，无死万。

天下之大防五，不可一毫溃也，一溃则决裂不可收拾。宇内之大防，上下名分是已；境外之大防，夷夏出入是已；一家之大防，男女嫌微是已；一身之大防，理欲消长是已；万世之大防，道脉纯杂是已。

儒者之末流与异端之末流何异？似不可以相诮也。故明于医，可以攻病人之标本；精于儒，可以中邪说之膏肓。辟邪不得其情，则邪愈肆；攻病不对其症，则病愈剧。何者？授之以话柄而藉之以反攻，自救之策也。

人皆知异端之害道，而不知儒者之言亦害道也。见理不明，似是而非，或骋浮词以乱真，或执偏见以夺正，或狃目前而昧万世之常经，或徇小道而溃天下之大防，而其闻望又足以行其学术，为天下后世人心害良亦不细。是故，有异端之异端，有吾儒之异端。异端之异端真非也，其害小；吾儒之异端似是也，其害大。有卫道之心者，如之何而不辩哉？

天下事皆实理所为，未有无实理而有事物者也。幻家者流，无实用而以形惑人！呜呼！不窥其实而眩于形以求理，愚矣。

公卿争议于朝，曰天子有命，则屏然不敢屈直矣；师儒相辩于学，曰孔子有言，则寂然不敢异同矣。故天地间惟理与势为最尊。虽然，理又尊之尊也。庙堂之上言理，则天子不得以势相夺，即相夺焉，而理则常伸于天下万世。故势者，帝王之权也；理者，圣人之权也。帝王无圣人之理，则其权有时而屈，然则理也者，又势之所恃以为存亡者也。以莫大之权，无僭窃之禁，此儒者之所不辞而敢于任斯道之南面也。

阳道生，阴道养。故向阳者先发，向阴者后枯。

正学不明，聪明才辩之士各枝叶其一隅之见，以成一家之说，而道始千岐百径矣。岂无各得？终是偏术。到孔门只如枉木着绳，一毫邪气不得。

禅家有理障[①]之说。愚谓理无障，毕竟是识障。无意识，心何障之有？

【注释】

①理障：佛家指执着于文字，见理不真。

道莫要于损己，学莫急于矫偏。

七情总是个欲，只得其正了，都是天理；五性总是个仁，只不仁了，都是人欲。

万籁之声皆自然也，自然皆真也，物各自鸣其真。何天何人？何今何古？六经籁道者也，统一圣真，而汉宋以来胥执一响以吹之，而曰是外无声矣，观俳谑者，万人粲然皆笑，声不同也而乐同。人各笑其乐，何清浊高下妍蚩之足云？故见各鸣其自得。语不诡于六经，皆吾道之众响也，不必言言同、事事同矣。

气者，形之精华；形者，气之渣滓。故形中有气，无气则形不生；气中无形，有形则气不载。故有无形之气，无无气之形。星陨为石者，先感于形也。

天地万物，只到和平处无一些不好。何等畅快！

庄、列见得道理原着不得人为，故一向不尽人事。不知一任自然，成甚世界？圣人明知自然，却把自然阁起，只说个当然，听那个自然。

私恩煦感，仁之贼也；直往轻担，义之贼也；足恭伪态，礼之贼也；苛察歧疑，智之贼也；苟约固守，信之贼也。此五贼者，破道乱正，圣门斥之，后世儒者往往称之以训世，无识也与？

道有二然，举世皆颠倒之。有个当然，是属人底，不问吉凶祸福，要向前做去；有个自然，是属天底，任你踯躅咆哮，自勉强不来，举世昏迷，专在自然上错用工夫，是谓替天忙，徒劳无益。却将当然底全不着意，是谓弃人道，成个甚人？圣贤看着自然可得底，果于当然有碍，定不肯受，况未必得乎？只把二然字看得真、守得定，有多少受用处！

气用形，形尽而气不尽；火用薪，薪尽而火不尽。故天地惟无能用有，五行惟火为气，其四者皆形也。

气盛便不见涵养。浩然之气虽充塞天地间，其实本体闲定，冉冉口鼻中不足以呼吸。

有天欲，有人欲。吟风弄月，傍花随柳，此天欲也。声色货利，此人欲也。天欲不可无，无则禅；人欲不可有，有则秽。天欲即好的人欲，人欲即不好底天欲。

朱子云："不求人知而求天知。"为初学言也。君子为善，只为性中当如此，或此心过不去。天知、地知、人知、我知，浑是不求底，有一求心，便是伪，求而不得，此念定是衰歇。

以吾身为内，则吾身之外皆外物也，故富贵利达，可生可荣，苟非道焉，而君子不居；以吾心为内，则吾身亦外物也，故贫贱忧戚，可辱可杀，苟道焉，而君子不辞。

或问敬之道。曰："外面整齐严肃，内面齐庄中正，是静时涵养底敬；读书则心在于所读，治事则心在于所治，是主一无适底敬；出门如见大宾，使民如承大祭，是随事小心的敬。"或曰："若笑谈歌咏、宴息造次之时，恐如是则矜持不泰然矣。"曰："敬以端严为体，以虚活为用，以不离于正为主。斋日衣冠而寝，梦寐乎所祭者也。不斋之寝，则解衣脱冕矣。未有释衣冕而持敬也。然而心不流于邪僻，事不诡于道义，则不害其为敬矣。君若专去端严上求敬，则荷锄负畚、执辔御车、鄙事贱役，古圣贤皆为之矣，岂能日日手容恭、足容重耶？又若孔子曲肱指掌①，及居不容，点之浴沂②，何害其为敬耶？大端心与正依，事与道合，虽不拘拘于端严，不害其为敬。苟心游千里，意逐百欲，而此身却兀然端严在此，这是敬否？譬如谨避深藏，秉烛鸣珮，缓步轻声，女教《内则》原是如此，所以养贞信也。若馌妇③汲妻，及当颠沛奔走之际，自是回避不得。然而贞信之守，与深藏谨避者同，是何害其为女教哉？是故敬不择人，敬不择事，敬不择时，敬不择地，只要个心与正依，事与道合。"

【注释】

①指掌：指其手掌，比喻事理浅近明白。②点之浴沂：《论语》记载孔子与弟子们坐而言志，曾点曾说愿暮春三月时与志同道合者于沂水沐浴，歌咏而归。点，孔子弟子曾点。沂，沂水。③馌（yè）妇：给耕田者送饭的妇人。

先难后获，此是立德立功第一个张主。若认得先难是了，只一向持循去，任千毁万谤也莫动心，年如是，月如是，竟无效验也只如是，久则自无不获之理。故工夫循序以进之，效验从容以俟之，若欲速，便是揠苗者，自是欲速不来。

造化之精，性天之妙，惟静观者知之，惟静养者契之，难与纷扰者道。故止水见星月，才动便光芒错杂矣。悲夫！纷扰者，昏昏以终身而一无所见也。

满腔子是恻隐之心，满六合是运恻隐之心处。君子于六合飞潜动植、纤细毫末之物，见其得所则油然而喜，与自家得所一般；见其失所则闵然而戚，与自家失所一般，位育[①]念头如何一刻放得下？

【注释】

①位育：位，正。育，生长。

万物生于性，死于情。故上智去情，君子正情，众人任情，小人肆情。夫知情之能死人也，则当游心于淡泊无味之乡，而于世之所欣戚趋避漠然不以婴其虑，则身苦而心乐，感殊而应一。其所不能逃者，与天下同；其所了然独得者，与天下异。

此身要与世融液，不见有万物形迹、六合界限，此之谓化；然中间却不模糊，自有各正的道理，此之谓精。

人一生不闻道，真是可怜！

"己欲立而立人，己欲达而达人"，便是肫肫[①]其仁，天下一家滋味。然须推及鸟兽，又推及草木，方充得尽。若父子兄弟间便有各自立达、争先求胜的念头，更那顾得别个？

【注释】

①肫（zhūn）肫：恳挚的样子。

天德只是个无我，王道只是个爱人。

道是第一等，德是第二等，功是第三等，名是第四等。自然之谓道，与自然游谓之道士。体道之谓德，百行俱修谓之德士。济世成物谓之功。一味为天下洁身著世谓之名。一味为自家立言者亦不出此四家之言，下此不入等矣。

凡动天感物，皆纯气也。至刚至柔与中和之气皆有所感动，纯故也。十分纯里才有一毫杂，便不能感动。无论佳气戾气，只纯了，其应便捷于影响。

万事万物有分别，圣人之心无分别，因而付之耳。譬之日因万物以为影，水因万川以顺流，而日水原无两，未尝不分别，而非以我分别之也。以我分别，自是分别不得。

下学学个甚么？上达达个甚么？下学者，学其所达也；上达者，达其所学也。

弘毅，坤道也。《易》曰“含弘光大”，言弘也；“利永贞”，言毅也。不毅不弘，何以载物？

六经言道而不辨，辨自孟子始；汉儒解经而不论，论自宋儒始；宋儒尊理而不僭，僭自世儒始。

圣贤学问是一套，行王道必本天德；后世学问是两截，不修己只管治人。

自非生知之圣，未有言而不思者。貌深沉而言安定，若蹇若疑，欲发欲留。虽有失焉者，寡矣；神奋扬而语急速，若涌若悬，半跲①半晦，虽有得焉者，寡矣。夫一言之发，四面皆渊阱也。喜言之则以为骄，戚言之则以为懦，谦言之则以为谄，直言之则以为陵，微言之则以为险，明言之则以为浮。无心犯讳，则谓有心之讥；无为发端，则疑有为之说。简而当事，曲而当情，精而当理，确而当时，一言而济事，一言而服人，一言而明道，是谓修辞之善者。其要有二：曰澄心，曰定气。余多言而无当，真知病本云云，当与同志者共改之。

【注释】

①跲（jiá）：退却，窒碍。

知彼知我，不独是兵法，处人处事一些少不得底。

静中真味至淡至冷，及应事接物时，自有一段不冷不淡天趣。只是众人习染世味十分浓艳，便看得他冷淡。然冷而难亲，淡而可厌，原不是真味，是谓拨寒灰嚼净蜡。

明体全为适用。明也者，明其所适也。不能实用，何贵明体？然未有明体而不实用者。树有根，自然千枝万叶；水有泉，自然千流万派。

天地人物原来只是一个身体，一个心肠，同了便是一家，异了便是万类。而今看着风云雷雨都是我胸中发出，虎豹蛇蝎都是我身上分来，那个是天地？那个是万物？

万事万物都有个一。千头万绪皆发于一，千言万语皆明此一，千体认万推行皆做此一。得此一，则万皆举。求诸万，则一反迷。但二氏[1]只是守一，吾儒却会用一。

【注释】

①二氏：指释、道二家。

三氏[1]传心要法，总之不离一静字。下手处皆是制欲，归宿处都是无欲，是则同。

【注释】

①三氏：指儒、释、道。

“予欲无言”，非雅言也，言之所不能显者也。“吾无隐尔”，非文辞也，性与天道也。说便说不来，藏也藏不得，然则无言即无隐也，在学者之自悟耳。天地何尝言？何尝隐？以是知不可言传者，皆日用流行于事物者也。

天地间道理，如白日青天；圣贤心事，如光风霁月。若说出一段话，说千解万，解说者再不痛快，听者再不惺憁，岂举世人皆愚哉？此立言者之大病。

罕譬而喻者，至言也；譬而喻者，微言也；譬而不喻者，玄言也。玄言者，道之无以为者也。不理会玄言，不害其为圣人。

正大光明，透彻简易，如天地之为形，如日月之垂象，足以开物成务，足以济世安民，达之天下万世而无弊，此谓天言。平易明白，切近精实，出于吾口而当于天下之心，载之典籍而裨于古人之道，是谓人言。艰深幽僻，吊诡探奇，不自句读不能通其文，通则无分毫会心之理趣；不考音韵不能识其字，识则皆常行日用之形声，是谓鬼言。鬼言者，道之贼也，木之孽也，经生学士之殃也？然而世人崇尚之者何？逃之怪异足以文凡陋之笔，见其怪异易以骇肤浅之目。此光明平易大雅君子为之汗颜泚颡[1]，而彼方以为得意者也。哀哉！

【注释】

①泚颡（cǐ sǎng）：汗出貌。此指因羞愧而流汗。

衰世尚同，盛世未尝不尚同。衰世尚同流合污，盛世尚同心合德。虞廷同寅协恭[1]，修政无异识，圮族者殛[2]之；孔门同道协志，修身无异术，非吾徒者攻之。故曰，道德一，风俗同。二之非帝王之治，二之非圣贤之教，是谓败常乱俗，是谓邪说破道。衰世尚同则异是矣。逐波随风，共撼中流之砥柱；一颓百靡，谁容尽醉之醒人？读《桃园》、诵《板》《荡》，自古然矣。乃知盛世贵同，衰世贵独。独非立异也，众人皆我之独，即盛世之同矣。

【注释】

①同寅协恭：同怀敬畏之心。②圮（pǐ）：毁坏。殛（jí）：诛戮。

世间物一无可恋，只是既生在此中，不得不相与耳。不宜着情，着情便生无限爱欲，便招无限烦恼。

安而后自虑，止水能照也。

君子之于事也，行乎其所不得不行，止乎其所不得不止；于言也，语乎其所不得不语，默乎其所不得不默。尤悔庶几寡矣。

发不中节，过不在已发之后。

才有一分自满之心，面上便带自满之色，口中使出自满之声，此有道之所耻也。见得大时，世间再无可满之事，吾分再无能满之时，何可满之有？故盛德容貌若愚。

“相在尔室，尚不愧于屋漏”，此是千古严师；“十目所视，十手所指”，此是千古严刑。

诚与才合，毕竟是两个，原无此理。盖才自诚出，才不出于诚算不得个才，诚了自然有才。今人不患无才，只是讨一诚字不得。

断则心无累。或曰：“断用在何处？”曰：“谋后当断，行后当断。”

道尽于一，二则赘。体道者不出一，二则支。天无二气，物无二本，心无二理，世无二权。一则万，二则不万，道也，二乎哉？故执一者得万，求万者失一。水壅万川未必能塞，木滋万叶未必能荣，失一故也。

道有一真，而意见常千百也，故言多而道愈漓；事有一是，而意见常千百也，故议多而事愈偾。

吾党望人甚厚，自治甚疏，只在口吻上做工夫，如何要得长进？

宇宙内原来是一个，才说同，便不是。

周子《太极图》第二圈子是分阴分阳，不是根阴根阳。世间没有这般截然气化，都是互为其根耳。

说自然是第一等话，无所为而为。说当然是第二等话，性分之所当尽，职分之所当为。说不可不然是第三等话，是非毁誉是已。说不敢不然是第四等话，利害祸福是已。

人欲扰害天理，众人都晓得；天理扰害天理，虽君子亦迷，况在众人？而今只说慈悲是仁，谦恭是礼，不取是廉，慷慨是义，果敢是勇，然诺是信。这个念头真实发出，难说不是天理，却是大中至正天理被他扰害，正是执一贼道。举世所谓君子者，都在这里看不破，故曰道之不明也。

“二女同居，其志不同行”，见孤阳也。若无阳，则二女何不同行之有？二阳同居，其志同行，不见阴也。若见孤阴，则二男亦不可以同居矣。故曰：“一阴一阳之谓道。”六爻虽具阴阳之偏，然各成一体，故无嫌。

利刃斫木绵，迅炮击风帜，必无害矣。

士之于道也，始也求得，既也得得，既也养得，既也忘得。不养得则得也不固，不忘得则得也未融。学而至于忘得，是谓无得。得者，自外之名，既失之名，还我故物，如未尝失，何得之有？心放失，故言得心。从古未言得耳目口鼻四肢者，无失故也。

圣人作用皆以阴为主，以阳为客。阴所养者也，阳所用者也。天地亦主阴而客阳。二氏家全是阴。道家以阴养纯阳而啬之，释家以阴养纯阴而宝之。凡人阴多者，多寿多福；阳多者，多夭多祸。

只隔一丝，便算不得透彻之悟，须是入筋肉、沁骨髓。

异端者，本无不同，而端绪异也。千古以来，惟尧、舜、禹、汤、文、武、孔、孟一脉是正端，千古不异。无论佛、老、庄、列、申、韩、管、商，即伯夷、伊尹、柳下惠，都是异端。子贡、子夏之徒，都流而异端。盖端之初分也，如路之有岐，未分之初都是一处发脚，既出门后，一股向西南走，一股向东南走，走到极处，末路梢头，相去不知几千万里。其始何尝不一本哉？故学问要析同异于毫厘，非是好辩，惧末流之可哀也。

天下之事，真知再没个不行，真行再没个不诚，真诚之行再没个不自然底。自然之行不至其极不止，不死不止，故曰“明则诚”矣。

千万病痛只有一个根本，治千病万痛只治一个根本。

宇宙内主张万物底，只是一块气。气即是理。理者，气之自然者也。

到至诚地位，诚固诚，伪亦诚；未到至诚地位，伪固伪，诚亦伪。

义袭取不得。

信知困穷抑郁、贫贱劳苦是我应得底，安富尊荣、欢欣如意是我傥来底，胸中便无许多冰炭。

事有豫而立，亦有豫而废者。吾曾豫以有待，临事凿枘不成，竟成弃掷者。所谓权不可豫设，变不可先图，又难执一论也。

任是千变万化、千奇万异，毕竟落在平常处歇。

善是性，性未必是善；秤锤是铁，铁不是秤锤。或曰：“孟子道性善，非与？”曰：“余所言孟子之言也，孟子以耳目口鼻四肢之欲为性，此性善否？”或曰：“欲当乎理即是善。”曰：“如子所言，‘动心忍性’，亦忍善性与？”或曰：“孔子系《易》，言‘继善成性’，非与？”曰：“世儒解经，皆不善读《易》者也。孔子云：‘一阴一阳之谓道。'谓一阴一阳均调而不偏，乃天地中和之气，故谓之道。人继之则为善。继者禀受之初，人成之则为性。成者，不作之谓。假若一阴则偏于柔，一阳则偏于刚，皆落气质，不可谓之道。盖纯阴纯阳之谓偏；一阴二阳，二阴一阳之谓驳；一阴三四五阳，五阴一三四阳之谓杂。故仁知之见皆落了气质一边，何况百姓？仁智两字拈此以见例。礼者见之谓之礼，义者见之谓之义，皆是边见。朱注以继为天，误矣。又以仁智分阴阳，又误矣。抑尝考之，天自有两种天，有理道之天，有气数之天。故赋之于人，有义理之性，有气质之性。二天皆出于太极。理道之天是先天，未着阴阳五行以前，纯善无恶，《书》所谓'惟皇降衷，厥有恒性'，《诗》所谓'天生烝民，有物有则'是也。气数之天是后天，落阴阳五行之后，有善有恶，《书》所谓'天生烝民，有欲'，孔于所谓'惟上知与下愚不移'是也。孟子道性善，只言个德性。"

物欲从气质来，只变化了气质，更说甚物欲。

耳目口鼻四肢有何罪过？尧、舜、周、孔之身都是有底；声色货利、可爱可欲有何罪过？尧、舜、周、孔之世都是有底。千万罪恶都是这点心，孟子"耳目之官不思而蔽于物"，太株连了。只是先立乎其大，有了张主，小者都是好奴婢，何小之敢夺？没了窝主，那怕盗贼？问：谁立大？曰：大立大。

威仪养得定了，才有脱略，便害羞赧，放肆惯得久了，才入礼群，便害拘束。习不可不慎也。

絜矩[①]是强恕事，圣人不絜矩。他这一副心肠原与天下打成一片，那个是矩？那个是絜？

【注释】

①絜（jié）矩：指道德上的示范作用。

仁以为己任，死而后已，此是大担当。老者衣帛食肉，黎民不饥不寒，此是大快乐。

内外本末交相培养，此语余所未喻。只有内与本，那外与末张主得甚？

不是与诸君不谈奥妙，古今奥妙不似《易》与《中庸》，至今解说二书不似青天白日，如何又于晦夜添浓云也？望诸君哀此后学，另说一副当言语，须是十指露缝，八面开窗，你见我知，更无躲闪，方是正大光明男子。

形而上与形而下不是两般道理，下学上达不是两截工夫。

世之欲恶无穷，人之精力有限，以有限与无穷斗，则物之胜人不啻千万，奈之何不病且死也？

冷淡中有无限受用处。都恋恋炎热，抵死不悟，既悟不知回头，既回头却又羡慕，此是一种依膻附腥底人，切莫与谈真滋味。

处明烛幽，未能见物，而物先见之矣。处幽烛明，是谓神照。是故不言者非喑，不视者非盲，不听者非聋。

儒戒声色货利，释戒色声香味，道戒酒色财气，总归之无欲，此三氏所同也。儒衣儒冠而多欲，怎笑得释道？

敬事鬼神，圣人维持世教之大端也。其义深，其功大，但自不可凿求，不可道破耳。

天下之治乱，只在“相责各尽”四字。

世之治乱，国之存亡，民之死生，只是个我心作用，只无我了，便是天清地宁、民安物阜世界。

惟得道之深者，然后能浅言。凡深言者，得道之浅者也。

以虚养心，以德养身，以善养人，以仁养天下万物，以道养万世，养之义大矣哉！

万物皆能昏人，是人皆有所昏。有所不见为不见者所昏，有所见为见者所昏，惟一无所见者不昏，不昏然后见天下。

道非淡不入，非静不进，非冷不凝。

三千三百便是无声无臭。

天德王道不是两事，内圣外王不是两人。

损之而不见其少者必赘物也，益之而不见其多者必缺处也，惟分定者加一毫不得、减一毫不得。

知是一双眼，行是一双脚。不知而行，前有渊谷而不见，旁有狼虎而不闻，如中州之人适燕而南、之粤而北也，虽乘千里之马，愈疾愈远。知而不行，如痿痹之人数路程，画山水。行更无多说，只用得一“笃”字。知的工夫千头万绪，所谓“匪知之艰，惟行之艰”；“匪苟知之，亦允蹈之”；“知至至之，知终终之”；“穷神知化”，“穷理尽性”，“几深研极”，“探赜索隐”，“多闻多见”。知也者，知所行也；行也者，行所知也。知也者，知此也；行也者，行此也。原不是两个。世俗知行不分，直与千古圣人驳难，以为行即是知。余以为能行方算得知，徒知难算得行。

有杀之为仁，生之为不仁者；有取之为义，与之为不义者；有卑之为礼，尊之为非礼者；有不知为智，知之为不智者；有违言为信，践言为非信者。

觅物者，苦求而不得，或视之而不见，他日无事于觅也，乃得之。非物有趋避，目眩于急求也。天下之事，每得于从容，而失之急遽。

山峙川流，鸟啼花落，风清月白，自是各适其天，各得其分。我亦然，彼此无干涉也。才生系恋心，便是歆羡，便有沾着。至人淡无世好，与世相忘而已。惟并育而不有情，故并育而不相害。

公生明，诚生明，从容生明。公生明者，不蔽于私也。诚生明者，清虚所通也。从容生明者，不淆于感也，舍是无明道矣。

“喜怒哀乐之未发谓之中。”自有《中庸》以来，无人看破此一语。此吾道与佛、老异处，最不可忽。

知识，心之孽也；才能，身之妖也；贵宠，家之祸也；富足，子孙之殃也。

只泰了，天地万物皆志畅意得，欣喜欢爱。心、身、家、国、天下无一毫郁阏不平之气，所谓八达四通，千昌万遂，太和之至也。然泰极则肆，肆则不可收拾，而入于否。故泰之后继以大壮，而圣人戒之曰："君子以非礼弗履。"用是见古人忧勤惕励之意多，豪雄旷达之心少。六十四卦，惟有泰是快乐时，又恁极中极正，且惧且危，此所以致泰保泰而无意外之患也。

今古纷纷辨口，聚讼盈庭，积书充栋，皆起于世教之不明，而聪明才辨者各执意见以求胜。故争轻重者至衡而息，争短长者至度而息，争多寡者至量而息，争是非者至圣人而息。中道者，圣人之权衡度量也。圣人往矣，而中道自在，安用是哓哓强口而逞辨以自是哉？嗟夫！难言之矣。

人只认得义、命两字真，随事随时在这边体认，果得趣味，一生受用不了。

"夫焉有所倚"，此至诚之胸次也。空空洞洞，一无所着，一无所有，只是不倚着，才倚一分，便是一分偏，才着一厘，便是一厘碍。

形用事，则神者亦形；神用事，则形者亦神。

威仪三千，礼仪三百，五刑之属三千，皆法也。法是死底，令人可守；道是活底，令人变通。贤者持循于法之中，圣人变易于法之外。自非圣人，而言变易，皆乱法也。

道不可言，才落言诠便有倚着。

礼教大明，中有犯礼者一人焉，则众以为肆而无所容；礼教不明，中有守礼者一人焉，则众以为怪而无所容。礼之于世大矣哉！

良知之说，亦是致曲扩端学问，只是作用大端费力。作圣工夫当从天上做，培树工夫当从土上做。射之道，中者矢也，矢由弦，弦由手，手由心，用工当在心，不在矢；御之道，用者衔也，衔由辔，辔由手，手由心，用工当在心，不在衔。

圣门工夫有两途，“克己复礼”是领恶以全好也，四夷靖则中国安；“先立乎其大者”，是正己而物正也，内顺治则外威严。

中，是千古道脉宗；敬，是圣学一字诀。

性只有一个，才说五便着情种矣。

敬肆是死生关。

瓜、李将熟，浮白生焉；礼由情生，后世乃以礼为情，哀哉！

道理甚明、甚浅、甚易，只被后儒到今说底玄冥，只似真禅，如何使俗学不一切抵毁而尽叛之？

生成者，天之道心；灾害者，天之人心。道心者，人之生成；人心者，人之灾害。此语众人惊骇死，必有能理会者。

道、器非两物，理、气非两件。成象成形者器，所以然者道；生物成物者气，所以然者理。道与理，视之无迹，扪之无物。必分道、器，理、气为两项，殊为未精。《易》曰：“形而上者谓之道，形而下者谓之器。”盖形而上，无体者也，万有之父母，故曰道。形而下，有体者也，一道之凝结，故曰器。理、气亦然。生天、生地、生人、生物，皆气也。所以然者，理也。安得对待而言之？若对待为二，则费隐亦二矣。

先天，理而已矣；后天，气而已矣；天下，势而已矣；人情，利而已矣。理一，而气、势、利三，胜负可知矣。

人事就是天命。

我盛则万物皆为我用，我衰则万物皆为我病。盛衰胜负，宇宙内只有一个消息。

天地间惟无无累，有即为累。有身则身为我累，有物则物为我累。惟至人则有我而无我，有物而忘物，此身如在太虚中，何累之有？故能物我两化，化则何有何无？何非有何非无？故二氏逃有，圣人善处有。

义，合外内之道也。外无感，则义只是浑然在中之理。见物而裁制之，则为义。义不生于物，亦缘物而后见。告子只说义外，故孟子只说义内，各说一边以相驳，故穷年相辨而不服。孟子若说义虽缘外而形，实根吾心而生。物不是义，而处物乃为义也。告子再怎开口？性，合理气之道也。理不杂气，则纯粹以精，有善无恶，所谓义理之性也；理一杂气，则五行纷揉，有善有恶，所谓气质之性也。诸家所言，皆落气质之后之性；孟子所言，皆未着气质之先之性。各指一边以相驳，故穷年相辨而不服。孟子若说有善有恶者，杂于气质之性，有善无恶者，上帝降衷之性，学问之道，正要变化那气质之性，完复吾降衷之性。诸家再怎开口？

乾与姤，坤与复，对头相接，不间一发。乾坤尽头处，即姤复起头处，如呼吸之相连，无有断续，一断便是生死之界。

知费之为省，善省者也；而以省为省者愚，其费必倍。知劳之为逸者，善逸者也；而以逸为逸者昏，其劳必多。知苦之为乐者，善乐者也；而以乐为乐者痴，一苦不返，知通之为塞者，善塞者也；而以塞为塞者拙，一通必竭。

秦火之后，三代制作湮灭几尽。汉时购书之赏重，故汉儒附会之书多。其幸存者，则焚书以前之宿儒尚存而不死，如伏生口授之类。好古之君子壁藏而石函，如《周礼》出于屋壁之类。后儒不考古今之文，概云先王制作而不敢易。即使尽属先王制作，然而议礼制度，考文沿世道民俗而调剂之，易姓受命之天子皆可变通，故曰刑法世轻重，三王不沿礼袭乐。若一切泥古而求通，则茹毛饮血，土鼓污尊皆可行之今日矣。尧、舜而当此时，其制度文为必因时顺势，岂能反后世而跻之唐虞？或曰："自秦火后，先王制作何以别之？"曰："打起一道大中至正线来，真伪分毫不错。"

理会得"简"之一字，自家身心、天地万物、天下万事尽之矣。一粒金丹，不载多药；一分银魂，不携钱币。

耳闻底，眼见底，身触、头戴、足踏底，灿然确然，无非都是这个。拈起一端来，色色都是这个。却向古人千言万语，陈烂葛藤，钻研穷究，意乱神昏，了不可得，则多言之误后人也。噫！

鬼神无声无臭，而有声有臭者，乃无声无臭之散殊也。故先王以声息为感格鬼神之妙机。周人尚臭，商人尚声。自非达幽明之故者，难以语此。

三千三百，茧丝牛毛，圣人之精细入渊微矣，然皆自性真流出，非由强作，此之谓天理。

事事只在道理上商量，便是真体认。

使人收敛庄重莫如礼，使人温厚和平莫如乐。德性之有资于礼乐，犹身体之有资于衣食，极重大，极急切。人君治天下，士君子治身，惟礼乐之用为急耳。自礼废，而惰慢放肆之态惯习于身体矣；自乐亡，而乖戾忿恨之气充满于一腔矣。三代以降，无论典秩之本，声气之元，即仪文器数，梦寐不及。悠悠六合，贸贸百年，岂非灵于万物，而万物且能笑之？细思先儒“不可斯须去身”六字，可为流涕长太息矣。

惟平脉无病，七表、八里、九道皆病名也；惟中道无名，五常、百行、万善皆偏名也。

千载而下，最可恨者，《乐》之无传。士大夫视为迂阔无用之物，而不知其有切于身心性命也。

一、中、平、常、白、淡、无，谓之七，无对。一不对万，万者，一之分也。太过不及对，中者，太过不及之君也。高下对，平者，高下之准也。吉凶、祸福、贫富、贵贱对，常者，不增不减之物也。青黄、碧紫、赤黑对，白者，青、黄、碧、紫、赤之质也。酸、咸、甘、苦、辛对，淡者，受和五味之主也。有不与无对，无者，万有之母也。

或问：“格物之物是何物？”曰：“至善是已。”“如何格？”曰：“知止是已。”“《中庸》不言格物，何也？”曰：“舜之执两端于问察，回之择一善而服膺，皆格物也。”“择善与格物同否？”曰：“博学、审问、慎思、明辨，皆格物也；致知、诚正、修、齐、治、平，皆择善也。除了善，更无物。除了择善，更无格物之功。”“至善即中乎？”曰：“不中不得谓之至善。不明乎善，不得谓之格物。故不明善不能诚身，不格物不能诚意。明了善，欲不诚身不得。格了物，欲不诚意不得。”“不格物亦能致知否？”曰：“有。佛、老、庄、列皆致知也，非不格物，而非吾之所谓物。”“不致知亦能诚意否？”曰：“有。尾生、孝己皆诚意也，乃气质之知，而非格物之知。”格物二字，在宇宙间乃鬼神诃护真灵至宝，要在个中人神解妙悟，不可与口耳家道也。

学术要辨邪正。既正矣，文要辨真伪。既真矣，又要辨念头切不切，向往力不力。无以空言辄便许人也。

百姓冻馁，谓之国穷；妻子困乏，谓之家穷，气血虚弱，谓之身穷；学问空疏，谓之心穷。

人问：“君是道学否？”曰：“我不是道学。”“是仙学否？”曰：“我不是仙学。”“是释学否？”曰：“我不是释学。”“是老、庄、申、韩学否？”曰：“我不是老、庄、申、韩学。”“毕竟是谁家门户？”曰：“我只是我。”

与友人论天下无一物无礼乐，因指几上香曰：“此香便是礼，香烟便是乐；坐在此便是礼，一笑便是乐。”

心之好恶不可迷也，耳目口鼻四肢之好恶不可徇也。瞽者不辨苍素，聋者不辨宫商，鼽[①]者不辨香臭，狂者不辨辛酸，逃难而追亡者不辨险夷远近。然于我无损也，于道无损也，于事无损也。而有益于世，有益于我者，无穷。乃知五者之知觉，道之贼而心之殃也，天下之祸也。

【注释】

①鼽（qiú）：鼻孔堵塞。

气有三散：苦散，乐散，自然散。苦散、乐散可以复聚，自然散不复聚矣。

悟有顿，修无顿。立志在尧，即一念之尧；一语近舜，即一言之舜；一行师孔，即一事之孔。而况悟乎？若成一个尧、舜、孔子，非真积力充、毙而后已不能。

卷二　内篇·乐集

修身

六合是我底六合，那个是人？我是六合底我，那个是我？

世上没个分外好底，便到天地位，万物育底功用，也是性分中应尽底事业。今人才有一善，便向人有矜色，便见得世上人都有不是，余甚耻之。若说分外好，这又是贤智之过，便不是好。

率真者无心过，殊多躁言轻举之失；慎密者无口过，不免厚貌深情之累。心事如青天白日，言动如履薄临深，其惟君子乎？

沉静最是美质，盖心存而不放者。今人独居无事，已自岑寂难堪，才应事接人，便任口恣情，即是清狂，亦非蓄德之器。

攻己恶者，顾不得攻人之恶。若哓哓尔雌黄人，定是自治疏底。

大事难事看担当，逆境顺境看襟度，临喜临怒看涵养，群行群止看识见。

身是心当，家是主人翁当，郡邑是守令当，九边是将帅当，千官是冢宰当，天下是天子当，道是圣人当。故宇宙内几桩大事，学者要挺身独任，让不得人，亦与人计行止不得。

作人怕似渴睡汉，才唤醒时睁眼若有知，旋复沉困，竟是寐中人。须如朝兴栉盥之后，神爽气清，冷冷劲劲，方是真醒。

人生得有馀气，便有受用处。言尽口说，事尽意做，此是薄命子。

清人不借外景为襟怀，高士不以尘识染情性。

官吏不要钱，男儿不做贼，女子不失身，才有了一分人。连这个也犯了，再休说别个。

才有一段公直之气，而出言做事便露圭角，是大病痛。

讲学论道于师友之时，知其心术之所藏何如也；饬躬励行于见闻之地，知其暗室之所为何如也。然则盗跖非元憝[1]也，彼盗利而不盗名也。世之大盗，名利两得者居其最。

【注释】

①元憝（duì）：元凶。

圆融者，无诡随之态；精细者，无苛察之心；方正者，无乖拂之失；沉默者，无阴险之术；诚笃者，无椎鲁之累；光明者，无浅露之病；劲直者，无径情之偏；执持者，无拘泥之迹；敏练者，无轻浮之状。此是全才。有所长而矫其长之失，此是善学。

不足与有为者，自附于行所无事之名；和光同尘者，自附于无可无不可之名。圣人恶莠也以此。

古之士民，各安其业，策励精神，点检心事，昼之所为，夜而思之，又思明日之所为。君子汲汲其德，小人汲汲其业，日累月进，旦兴晏息，不敢有一息惰慢之气。夫是以士无慆[1]德，民无怠行；夫是以家给人足，道明德积，身用康强，不即于祸。今也不然，百亩之家不亲力作，一命之士不治常业，浪谈邪议，聚笑觅欢，耽心耳目之玩，骋情游戏之乐；身衣绮縠，口厌刍豢，志溺骄佚，懵然不知日用之所为，而其室家土田百物往来之费，又足以荒志而养其淫，消耗年华，妄费日用。噫！是亦名为人也，无惑乎后艰之踵至也。

【注释】

①慆（tāo）：怠慢。

世人之形容人过只像个盗跖，回护自家只像个尧、舜。不知这却是以尧、舜望人，而以盗跖自待也。

孟子看乡党自好，看得甚卑。近年看乡党人自好底不多。爱名惜节，自好之谓也。

少年之情，欲收敛不欲豪畅，可以谨德；老人之情，欲豪畅不欲郁闷，可以养生。

广所依不如择所依，择所依不如无所依。无所依者，依天也。依天者，有独知之契，虽独立宇宙之内而不谓孤，众倾之、众毁之而不为动，此之谓男子。

坐间皆谈笑而我色庄，坐间皆悲感而我色怡，此之谓乖戾，处己处人两失之。

精明也要十分，只须藏在浑厚里作用。古今得祸，精明人十居其九，未有浑厚而得祸者。今之人惟恐精明不至，乃所以为愚也。

分明认得自家是，只管担当直前做去。却因毁言辄便消沮，这是极无定力底，不可以任天下之重。

小屈以求大伸，圣贤不为。吾道必大行之日然后见，便是抱关击柝①，自有不可枉之道。松柏生来便直，士君子穷居便正。若曰在下位遇难事，姑韬光忍耻以图他日贵达之时，然后直躬行道，此不但出处为两截人，即既仕之后，又为两截人矣。又安知大任到手不放过耶？

【注释】

①抱关击柝（tuò）：比喻地位卑微。抱关，守关。击柝，巡夜。

才能技艺让他占个高名，莫与角胜，至于纲常大节，则定要自家努力，不可退居人后。

处众人中孤另另的别作一色人，亦吾道之所不取也。子曰："群而不党。"群占了八九分，不党，只到那不可处方用。其用之也，不害其群，才见把持，才见涵养。

今之人只是将"好名"二字坐君子罪，不知名是自好不将去。分人以财者，实费财；教人以善者，实劳心；臣死忠，子死孝，妇死节者，实杀身；一介不取者，实无所得。试著渠将这好名儿好一好，肯不肯？即使真正好名，所为却是道理。彼不好名者，舜乎？跖乎？果舜耶，真加于好名一等矣；果跖耶，是不好美名而好恶名也。愚悲世之人以好名沮君子，而君子亦畏好名之讥而自沮，吾道之大害也，故不得不辨。凡我君子，其尚独复自持，毋为哓哓者所撼哉。

大其心，容天下之物；虚其心，受天下之善；平其心，论天下之事；潜其心，观天下之理；定其心，应天下之变。

古之居民上者，治一邑则任一邑之重，治一郡则任一郡之重，治天下则任天下之重。朝夕思虑其事，日夜经纪其务，一物失所不遑安席，一事失理不遑安食。限于才者求尽吾心，限于势者求满吾分。不愧于君之付托、民之仰望，然后食君之禄，享民之奉，泰然无所歉，反焉无所愧，否则是食浮于功也，君子耻之。

盗嫂之诬直不疑[①]，挝妇翁之诬第五伦[②]，皆二子之幸也。何者？诬其所无，无近似之迹也，虽不辩而久则自明矣。或曰："使二子有嫂有妇翁，亦当辨否？"曰："嫌疑之迹，君子安得不辨？予所否者，天厌之，天厌之。若付之无言，是与马偿金之类也，君子之所恶也。故君子不洁己以病人，亦不自污以徇世。"

【注释】

①直不疑：西汉文帝时人。有人诬陷他与嫂私通，他说自己无兄。②第五伦：东汉人。

听言不爽，非圣人不能。根以有成之心，蜚以近似之语，加之以不避嫌之事，当仓卒无及之际，怀隔阂难辨之恨，父子可以相贼，死亡可以不顾，怒室阋墙[①]，稽唇反目，何足道哉！古今国家之败亡，此居强半。圣人忘于无言，智者照以先觉，贤者熄于未著，刚者绝其口语，忍者断于不行。非此五者，无良术矣。

【注释】

①阋（xì）墙：内讧。

荣辱系乎所立。所立者固，则荣随之，虽有可辱，人不忍加也；所立者废，则辱随之，虽有可荣，人不屑及也。是故君子爱其所自立，惧其所自废。

掩护勿攻，屈服勿怒，此用威者之所当知也；无功勿赏，盛宠勿加，此用爱者之所当知也。反是皆败道也。

称人之善，我有一善，又何妒焉？称人之恶，我有一恶，又何毁焉？

善居功者，让大美而不居；善居名者，避大名而不受。

善者不必福，恶者不必祸，君子稔知之也，宁祸而不肯为恶；忠直者穷，谀佞者通，君子稔知之也，宁穷而不肯为佞。非但知理有当然，亦其心有所不容已耳。

居尊大之位，而使贤者忘其贵重，卑者乐于亲炙[①]，则其人可知矣。

【注释】

①亲炙：亲近而受到教益。

人不难于违众，而难于违己。能违己矣，违众何难？

攻我之过者，未必皆无过之人也。苟求无过之人攻我，则终身不得闻过矣。我当感其攻我之益而已，彼有过无过何暇计哉？

恬淡老成人，又不能俯仰一世，便觉干燥；圆和甘润人，又不能把持一身，便觉脂韦[①]。

【注释】

①脂韦：圆滑。

做人要做个万全。至于名利地步，休要十分占尽，常要分与大家，就带些缺绽不妨。何者？天下无人己惧遂之事，我得人必失，我利人必害，我荣人必辱，我有美名人必有愧色。是以君子贪德而让名，辞完而处缺，使人我一般，不哓哓露头角、立标臬[①]，而胸中自有无限之乐。孔子谦己，尝自附于寻常人，此中极有意趋。

【注释】

①标臬：靶子。

“明理省事”甚难，此四字终身理会不尽，得了时，无往而不裕如。

胸中有一个见识，则不惑于纷杂之说；有一段道理，则不挠于鄙俗之见。《诗》云："匪先民是程，匪大猷是经，惟迩言是争。"平生读圣贤书，某事与之合，某事与之背，即知所适从，知所去取。否则口诗书而心众人也，身儒衣冠而行鄙夫也。此士之稂莠也。

世人喜言无好人，此孟浪语也。今且不须择人，只于市井稠人中聚百人而各取其所长，人必有一善，集百人之善，可以为贤人；人必有一见，集百人之见可以决大计。恐我于百人中未必人人高出之也，而安可忽匹夫匹妇哉？

学欲博，技欲工，难说不是一长，总较作人只是够了便止。学如班、马①，字如钟、王②，文如曹、刘③，诗如李、杜④，铮铮千古知名，只是个小艺习，所贵在作人好。

【注释】

①班、马：班固、司马迁。②钟、王：钟繇、王羲之。③曹、刘：曹植、刘桢。④李、杜：李白、杜甫。

到当说处，一句便有千钧之力，却又不激不疏，此是言之上乘。除外虽十缄也不妨。

循弊规若时王之制，守时套若先圣之经，侈己自得，恶闻正论，是人也亦大可怜矣。世教奚赖焉？

心要常操，身要常劳。心愈操愈精明，身愈劳愈强健，但自不可过耳。

未适可，必止可；既适可，不过可，务求适可而止。此吾人日用持循，须臾粗心不得。

士君子之偶聚也，不言身心性命，则言天下国家；不言物理人情，则言风俗世道；不规目前过失，则问平生德业。傍花随柳之间，吟风弄月之际，都无鄙俗媟慢之谈，谓此心不可一时流于邪僻，此身不可一日令之偷惰也。若一相逢，不是亵狎，便是乱讲，此与仆隶下人何异？只多了这衣冠耳。

作人要如神龙，屈伸变化，自得自如，不可为势利术数所拘缚。若羁绊随人，不能自决，只是个牛羊。然亦不可哓哓悻悻。故大智上哲看得几事分明，外面要无迹无言，胸中要独往独来，怎被机械人驾驭得？

“财色名位”此四字，考人品之大节目也。这里打不过，小善不足录矣。自古砥砺名节者，兢兢在这里做工夫，最不可容易放过。

古之人非曰位居贵要、分为尊长而遂无可言之人，无可指之过也；非曰卑幼贫贱之人一无所知识，即有知识而亦不当言也。盖体统名分确然不可易者，在道义之外；以道相成，以心相与，在体统名分之外。哀哉！后世之贵要尊长而遂无过也。

只尽日点检自家，发出念头来，果是人心？果是道心？出言行事果是公正？果是私曲？自家人品自家定了几分，何暇非笑人？又何敢喜人之誉己耶？

往见“泰山乔岳以立身”四语，甚爱之，疑有未尽，因推广为男儿八景云：“泰山乔岳之身，海阔天空之腹，和风甘雨之色，日照月临之目，旋乾转坤之手，磐石砥柱之足，临深履薄之心，玉洁冰清之骨。”此八景予甚愧之，当与同志者竭力从事焉。

求人已不可，又求人之转求；徇人之求已不可，又转求人之徇人；患难求人已不可，又以富贵利达求人，此丈夫之耻也。

文名、才名、艺名、勇名，人尽让得过，惟是道德之名则妒者众矣。无文、无才、无艺、无勇，人尽谦得起，惟是无道德之名则愧者众矣。君子以道德之实潜修，以道德之名自掩。

“有诸己而后求诸人，无诸己而后非诸人”，固是藏身之恕；有诸己而不求诸人，无诸己而不非诸人，自是无言之感。《大学》为居上者言，若士君子守身之常法，则余言亦蓄德之道也。

乾坤尽大，何处容我不得？而到处不为人所容，则我之难容也。眇然一身，而为世上难容之人，乃号于人曰：“人之不能容我也。”吁！亦愚矣哉！

名分者，天下之所共守者也。名分不立，则朝廷之纪纲不尊，而法令不行。圣人以名分行道，曲士恃道以压名分，不知孔子之道视鲁侯奚啻天壤，而《乡党》一篇何等尽君臣之礼！乃知尊名分与谄时势不同。名分所在，一毫不敢傲惰；时势所在，一毫不敢阿谀。固哉！世之腐儒以尊名分为谄时势也。卑哉！世之鄙夫以谄时势为尊名分也。

圣人之道，太和而已，故万物皆育。便是秋冬，不害其为太和，况太和又未尝不在秋冬宇宙间哉！余性褊，无弘度、平心、温容、巽语，愿从事于太和之道以自广焉。

只竟夕点检，今日说得几句话关系身心，行得几件事有益世道，自慊自愧，恍然独觉矣。若醉酒饱肉，恣谈浪笑，却不错过了一日？乱言妄动、昧理从欲，却不作孽了一日？

只一个俗念头，错做了一生人；只一双俗眼目，错认了一生人。

少年只要想我见在干些甚么事，到头成个甚么人，这便有多少恨心！多少愧汗！如何放得自家过？

明镜虽足以照秋毫之末，然持以照面不照手者何？面不自见，藉镜以见，若手则吾自见之矣。镜虽明，不明于目也，故君子贵自知自信。以人言为进止，是照手之识也，若耳目识见所不及，则匪天下之见闻不济矣。

义、命、法，此三者，君子之所以定身，而众人之所妄念者也。从妄念而巧邪图以幸其私，君子耻之。夫义不当为，命不能为，法不敢为，虽欲强之，岂惟无获？所丧多矣。即获亦非福也。

避嫌者，寻嫌者也；自辨者，自诬者也。心事重门洞达，略不回邪，行事八窗玲珑，毫无遮障，则见者服，闻者信。稍有不白之诬，将家家为吾称冤，人人为吾置喙矣。此之谓洁品，不自洁而人洁之。

善之当为，如饮食衣服然，乃吾人日用常行事也。人未闻有以祸福废衣食者，而为善则以祸福为行止；未闻有以毁誉废衣食者，而为善则以毁誉为行止。惟为善心不真诚之故耳。果真果诚，尚有甘死饥寒而乐于趋善者。

有象而无体者，画人也，欲为而不能为；有体而无用者，塑人也，清净尊严，享牺牲香火，而一无所为；有运动而无知觉者，偶人也，待提掇指使而后为。此三人者，身无血气，心无灵明，吾无责矣。

我身原无贫富贵贱得失荣辱字，我只是个我，故富贵贫贱得失荣辱如春风秋月，自去自来，与心全不牵挂，我到底只是个我，夫如是，故可贫可富可贵可贱可得可失可荣可辱。今人惟富贵是贪，其得之也必喜，其失之也如何不悲？其得之也为荣，其失之也如何不辱？全是靠著假景作真身，外物为分内，此二氏之所笑也，况吾儒乎？吾辈做工夫，这个是第一。吾愧不能以告同志者。

“本分”二字，妙不容言。君子持身不可不知本分，知本分则千态万状一毫加损不得。圣王为治，当使民得其本分，得本分则荣辱死生一毫怨望不得。子弑父，臣弑君，皆由不知本分始。

两柔无声，合也；一柔无声，受也。两刚必碎，激也；一刚必损，积也。故《易》取一刚一柔。是谓平中，以成天下之务，以和一身之德，君子尚之。

毋以人誉而遂谓无过。世道尚浑厚，人人有心史也。人之心史真，惟我有心史而后无畏人之心史矣。

淫怒是大恶，里面御不住气，外面顾不得人，成甚涵养？或曰：“涵养独无怒乎？”曰：“圣贤之怒自别。”

凡智愚无他，在读书与不读书；祸福无他，在为善与不为善；贫富无他，在勤俭与不勤俭；毁誉无他，在仁恕与不仁恕。

古人之宽大，非直为道理当如此，然煞有受用处。弘器度以养德也，省怨怒以养气也，绝仇雠以远祸也。

平日读书，惟有做官是展布时。将穷居所见闻及生平所欲为者一一试尝之，须是所理之政事各得其宜，所治之人物各得其所，才是满了本然底分量。

只见得眼前都不可意，便是个碍世之人。人不可我意，我必不可人意。不可人意者我一人，不可我意者千万人。呜呼！未有不可千万人意而不危者也。是故智者能与世宜，至人不与世碍。

性分、职分、名分、势分，此四者，宇内之大物。性分、职分在己，在己者不可不尽；名分、势分在上，在上者不可不守。

初看得我污了世界，便是个盗跖；后看得世界污了我，便是个伯夷；最后看得世界也不污我，我也不污世界，便是个老子。

心要有城池，口要有门户。有城池则不出，有门户则不纵。

士君子作人不长进，只是不用心，不著力。其所以不用心、不著力者，只是不愧不奋。能愧能奋，圣人可至。

有道之言，得之心悟；有德之言，得之躬行。有道之言弘畅，有德之言亲切。有道之言如游万货之肆，有德之言如发万货之商。有道者不容不言，有德者无俟于言，虽然，未尝不言也。故曰："有德者必有言。"

学者说话要简重从容，循物傍事，这便是说话中涵养。

或问："不怨不尤了，恐于事天处人上更要留心不？"曰："这天人两项，千头万绪，如何照管得来？有个简便之法，只在自家身上做，一念、一言、一事都点检得，没我分毫不是，那祸福毁誉都不须理会。我无求祸之道而祸来，自有天耽错；我无致毁之道而毁来，自有人耽错，与我全不干涉。若福与誉是我应得底，我不加喜；是我幸得底，我且惶惧愧赧。况天也有力量不能底，人也有知识不到底，也要体悉他，却有一件紧要，生怕我不能格天动物。这个稍有欠缺，自怨自尤且不暇，又那顾得别个。孔子说个上不怨、下不尤，是不愿乎其外道理；孟子说个仰不愧、俯不怍，是素位而行道理。此二意常相须。"

天理本自廉退，而吾又处之以疏；人欲本善夤缘，而吾又狎之以亲；小人满方寸，而君子在千里之外矣，欲身之修，得乎？故学者与天理处，始则敬之如师保①，既而亲之如骨肉，久则浑化为一体。人欲虽欲乘间而入，也无从矣。

【注释】

①师保：古时教导贵族子弟的官员，有师有保，称为师保。

气忌盛，心忌满，才忌露。

外勍①敌五：声色、货利、名位、患难、晏安。内勍敌五：恶怒、喜好、牵缠、褊急、积惯。士君子终日被这个昏惑凌驾，此小勇者之所纳款，而大勇者之所务克也。

【注释】

①勍（qíng）：强大。

玄奇之疾，医以平易；英发之疾，医以深沉；阔大之疾，医以充实。不远之复，不若来行之审也。

奋始怠终，修业之贼也；缓前急后，应事之贼也；躁心浮气，畜德之贼也；疾言厉色，处众之贼也。

名心盛者必作伪。

做大官底是一样家数，做好人底是一样家数。

见义不为，又托之违众，此力行者之大戒也。若肯务实，又自逃名，不患于无术。吾窃以自恨焉。

“恭敬谦谨”，此四字有心之善也；“狎侮傲凌”，此四字有心之恶也，人所易知也。至于“怠忽惰慢”，此四字乃无心之失耳，而丹书之戒，怠胜敬者凶，论治忽者至分存亡。《大学》以傲惰同论，曾子以暴慢连语者，何哉？盖天下之祸患皆起于四字，一身之罪过皆生于四字。怠则一切苟且，忽则一切昏忘，惰则一切疏懒，慢则一切延迟，以之应事则万事皆废，以之接人则众心皆离。古人临民如驭朽索，使人如承大祭，况接平交以上者乎？古人处事不泄迩，不忘远，况目前之亲切重大者乎？故曰无众寡，无大小，无敢慢，此九字即毋不敬。毋不敬三字，非但圣狂之分，存亡、治乱、死生、祸福之关也，必然不易之理也。沉心精应者，始真知之。

人一生大罪过，只在自是自私四字。

古人慎言，每云“有馀不敢尽”。今人只尽其馀，还不成大过，只是附会支吾，心知其非而取辨于口，不至屈人不止，则又尽有馀者之罪人也。

真正受用处，十分用不得一分，那九分都无些干系，而拚死忘生、忍辱动气以求之者，皆九分也。何术悟得他醒？可笑可叹！

贫不足羞，可羞是贫而无志；贱不足恶，可恶是贱而无能；老不足叹，可叹是老而虚生；死不足悲，可悲是死而无闻。

圣人之闻善言也，欣欣然惟恐尼之，故和之以同言，以开其乐告之诚；圣人之闻过言也，引引然惟恐拂之，故内之以温色，以诱其忠告之实。何也？进德改过为其有益于我也。此之谓至知。

古者招隐逸，今也奖恬退，吾党可以愧矣；古者隐逸养道，不得已而后出，今者恬退养望，邀虚名以干进，吾党可以戒矣。

喜来时一点检，怒来时一点检，怠惰时一点检，放肆时一点检，此是省察大条款。人到此，多想不起，顾不得，一错了，便悔不及。

治乱系所用事。天下国家君子用事则治，小人用事则乱；一身德性用事则治，气习用事则乱。

难管底是任意，难防底是惯病。此处着力，便是穴上着针、痒处着手。

试点检终日说话有几句恰好底，便见所养。

业，刻木如锯齿，古无文字，用以记日行之事数也。一事毕，则去一刻；事俱毕，则尽去之，谓之修业。更事则再刻如前，大事则大刻，谓之大业；多事则多刻，谓之广业；士农工商所业不同，谓之常业；农为士则改刻，谓之易业。古人未有一生无所业者，未有一日不修业者，故古人身修事理，而无怠惰荒宁之时，常有忧勤惕励之志。一日无事，则一日不安，惧业之不修而旷日之不可也。今也昏昏荡荡，四肢不可收拾，穷年终日无一猷为，放逸而入于禽兽者，无业之故也。人生两间，无一事可见，无一善可称，资衣藉食于人，而偷安惰行以死，可羞也已。

古之谤人也也忠厚诚笃。《株林》之语，何等浑涵；舆人之谣，犹道实事。后世则不然，所怨在此，所谤在彼。彼固知其所怨者未必上之非，而其谤不足以行也，乃别生一项议论，其才辨附会足以泯吾怨之之实，启人信之之心，能使被谤者不能免谤之之祸，而我逃谤人之罪。呜呼！今之谤，虽古之君子且避忌之矣。圣贤处谤无别法，只是自修，其祸福则听之耳。

处利则要人做君子，我做小人；处名则要人做小人，我做君子，斯惑之甚也。圣贤处利让利，处名让名，故淡然恬然，不与世忤。

任教万分矜持，千分点检，里面无自然根本，仓卒之际、忽突之顷，本态自然露出。是以君子慎独。独中只有这个，发出来只是这个，何劳回护？何用支吾？

力有所不能，圣人不以无可奈何者责人；心有所当尽，圣人不以无可奈何者自诿。

或问：“孔子缁衣羔裘，素衣麑裘，黄衣狐裘，无乃非俭素之义与？”曰：“公此问甚好。慎修君子，宁失之俭素不妨。若论大中至正之道，得之为有财，却俭不中礼，与无财不得为而侈然自奉者相去虽远，而失中则均。圣贤不讳奢之名，不贪俭之美，只要道理上恰好耳。”

寡恩曰薄，伤恩曰刻，尽事曰切，过事曰激。此四者，宽厚之所深戒也。

《易》称“道济天下”，而吾儒事业，动称行道济时，济世安民。圣人未尝不贵济也。舟覆矣，而保得舟在，谓之济可乎？故为天下者，患知有其身，有其身不可以为天下。

万物安于知足，死于无厌。

足恭过厚，多文密节，皆名教之罪人也。圣人之道自有中正。彼乡原[①]者，徼名惧讥，希进求荣，辱身降志，皆所不恤，遂成举世通套。虽直道清节之君子，稍无砥柱之力，不免逐波随流，其砥柱者，旋以得罪。嗟夫！佞风谀俗，不有持衡当路者一极力挽回之，世道何时复古耶？

【注释】

①乡原：即“乡愿”，伪善之人。

时时体悉人情，念念持循天理。

愈进修，愈觉不长；愈点检，愈觉有非。何者？不留意作人，自家尽看得过；只日日留意向上，看得自家都是病痛，那有些好处？初头只见得人欲中过失，到久久又见得天理中过失，到无天理过失，则中行矣。又有不自然，不浑化，着色吃力过失，走出这个边境才是。圣人能立无过之地。故学者以有一善自多，以寡一过自幸，皆无志者也。急行者，只见道远而足不前；急耘者，只见草多而锄不利。

礼义之大防，坏于众人一念之苟。譬如由径之人，只为一时倦行几步，便平地踏破一条蹊径，后来人跟寻旧迹，踵成不可塞之大道。是以君子当众人所惊之事，略不动容，才干碍礼义上些须，便愕然变色，若触大刑宪然，惧大防之不可溃，而微端之不可开也。嗟夫！此众人之所谓迂，而不以为重轻者也。此开天下不可塞之衅者，自苟且之人始也。

大行之美，以孝为第一；细行之美，以廉为第一。此二者，君子之所务敦也。然而不辨之申生，不如不告之舜；井上之李，不如受馈之鹅。此二者，孝廉之所务辨也。

吉凶祸福是天主张，毁誉予夺是人主张，立身行己是我主张。此三者，不相夺也。

不得罪于法易，不得罪于理难。君子只是不得罪于理耳。

凡在我者，都是分内底；在天在人者，都是分外底。学者要明于内外之分，则在内缺一分，便是不成人处；在外得一分，便是该知足处。

听言观行，是取人之道；乐其言而不问其人，是取善之道。今人恶闻善言，便訑訑[1]曰："彼能言而行不逮，言何足取？"是弗思也。吾之听言也，为其言之有益于我耳。苟益于我，人之贤否奚问焉？衣敝枲者市文绣；食糟糠者市粱肉，将以人弃之乎？

【注释】

①訑訑（yí）：自满自足的样子。

取善而不用，依旧是寻常人，何贵于取？譬之八珍方丈[1]而不下箸，依然饿死耳。

【注释】

①八珍方丈：喻指食物丰美。

有德之容深沉凝重，内充然有馀，外阒然无迹。若面目都是精神，即不出诸口，而漏泄已多矣，毕竟是养得浮浅。譬之无量人，一杯酒便达于面目。

人人各有一句终身用之不尽者，但在存心着力耳。或问之，曰："只是对症之药便是。如子张只消得'存诚'二字，宰我只消得'警惰'二字，子路只消得'择善'二字，子夏只消得'见大'二字。"

言一也，出由[1]之口，则信且从；出跖之口，则三令五申而人且疑之矣。故有言者，有所以重其言者。素行孚人，是所以重其言者也。不然，且为言累矣。

【注释】

①由：仲由，字子路，孔子弟子。

世人皆知笑人，笑人不妨，笑到是处便难，到可以笑人时则更难。

毁我之言可闻，毁我之人不必问也。使我有此事也，彼虽不言，必有言之者。我闻而改之，是又得一不受业之师也。使我无此事耶，我虽不辨，必有辨之者。若闻而怒之，是又多一不受言之过也。

精明世所畏也，而暴之；才能世所妒也，而市之，不没也夫！

只一个贪爱心，第一可贱可耻。羊马之于水草，蝇蚁之于腥膻，蜣螂之于积粪，都是这个念头。是以君子制欲。

清议酷于律令，清议之人酷于治狱之吏。律令所冤，赖清议以明之，虽死犹生也；清议所冤，万古无反案矣。是以君子不轻议人，惧冤之也。惟此事得罪于天甚重，报必及之。

权贵之门，虽系通家知己，也须见面稀、行踪少就好。尝爱唐诗有“终日帝城里，不识五侯门”之句，可为新进之法。

闻世上有不平事，便满腹愤懑，出激切之语，此最浅夫薄子，士君子之大戒。

仁厚刻薄，是修短关；行止语默，是祸福关；勤惰俭奢，是成败关；饮食男女，是死生关。

言出诸口，身何与焉？而身亡。五味宜于口，腹何知焉？而腹病。小害大，昭昭也，而人每纵之徇之，恣其所出，供其所入。

浑身都遮盖得，惟有面目不可掩。面目者，公之证也。即有厚貌者，卒然难做预备，不觉心中事都发在面目上。故君子无愧心则无怍容。中心之达，达以此也，肺肝之视，视以此也。此修己者之所畏也。

韦弁布衣，是我生初服，不愧此生，尽可以还大造。轩冕是甚物事？将个丈夫来做坏了，有甚面目对那青天白日？是宇宙中一腐臭物也，乃扬眉吐气，以此夸人，而世人共荣慕之，亦大异事。

多少英雄豪杰，可与为善而卒无成，只为拔此身于习俗中不出。若不恤群谤，断以必行，以古人为契友，以天地为知己，任他千诬万毁何妨？

为人无负扬善者之心，无实称恶者之口，亦可以语真修矣。

身者，道之舆也。身载道以行，道非载身以行也。故君子道行，则身从之以进；道不行，则身从之以退。道不行而求进不已，譬之大贾百货山积不售，不载以归，而又以空舆雇钱也，贩夫笑之，贪鄙孰甚焉？故出处之分，只有二语：道行则仕，道不行则卷而怀之。舍是皆非也。

世间至贵，莫如人品，与天地参，与古人友，帝王且为之屈，天下不易其守。而乃以声色、财货、富贵、利达，轻轻将个人品卖了，此之谓自贱。商贾得奇货亦须待价，况士君子之身乎？

修身以不护短为第一长进。人能不护短，则长进至矣。

世有十态，君子免焉：无武人之态（粗豪），无妇人之态（柔懦），无儿女之态（娇稚），无市井之态（贪鄙），无俗子之态（庸陋），无荡子之态（儇佻），无伶优之态（滑稽），无闾阎之态（村野），无堂下人之态（局迫），无婢子之态（卑谄），无侦谍之态（诡暗），无商贾之态（衒售）。

作本色人，说根心话，干近情事。

君子有过不辞谤，无过不反谤，共过不推谤。谤无所损于君子也。

惟圣贤终日说话无一字差失。其馀都要拟之而后言，有馀不敢尽，不然未有无过者。故惟寡言者寡过。

心无留言，言无择人，虽露肺肝，君子不取也。彼固自以为光明矣，君子何尝不光明？自不轻言，言则心口如一耳。

保身底是德义，害身底是才能。德义中之才能，呜呼！免矣。

恒言“疏懒勤谨”，此四字每相因。懒生疏，谨自勤。圣贤之身岂生而恶逸好劳哉？知天下皆惰慢则百务废弛，而乱亡随之矣。先正云：古之圣贤未尝不以怠惰荒宁为惧，勤励不息自强。曰惧曰强，而圣贤之情见矣。所谓“忧勤惕励”者也。惟忧故勤，惟惕故励。

谑非有道之言也。孔子岂不戏？竟是道理上脱洒。今之戏者，媟矣，即有滑稽之巧，亦近俳优之流，凝静者耻之。

无责人，自修之第一要道；能体人，养量之第一要法。

予不好走贵公之门，虽情义所关，每以无谓而止。或让之，予曰："奔走贵公，得不谓其喜乎？"或曰："惧彼以不奔走为罪也。"予叹曰："不然。贵公之门奔走如市，彼固厌苦之甚者见于颜面，但浑厚忍不发于声耳。徒输自己一勤劳，徒增贵公一厌恶。且入门一揖之后，宾主各无可言，此面愧赧已无发付处矣。"予恐初入仕者狃于众套而不敢独异，故发明之。

亡我者，我也。人不自亡，谁能亡之？

沾沾煦煦，柔润可人，丈夫之大耻也。君于岂欲与人乖戾？但自有正情真味。故柔嘉不是软美，自爱者不可不辨。

士大夫一身，斯世之奉弘矣。不蚕织而文绣，不耕畜而膏粱，不雇贷而本马，不商贩而积蓄，此何以故也？乃于世分毫无补，惭负两间。人又以大官诧市井儿，盖棺有馀愧矣。

且莫论身体力行，只听随在聚谈间，曾几个说天下、国家、身心、性命正经道理？终日哓哓刺刺，满口都是闲谈乱谈。吾辈试一猛省，士君子在天地间可否如此度日？

君子慎求人。讲道问德，虽屈己折节，自是好学者事。若富贵利达向人开口，最伤士气，宁困顿没齿也。

言语之恶，莫大于造诬，行事之恶，莫大于苛刻；心术之恶，莫大于深险。

自家才德，自家明白的。才短德微，即卑官薄禄，已为难称。若已逾涘[①]分而觖望无穷，却是难为了造物。孔孟终身不遇，又当如何？

【注释】

①涘（sì）：水边，引申为边限。

不善之名，每成于一事，后有诸长，不能掩也，而惟一不善传。君子之动，可不慎与？

一日与友人论身修道理，友人曰："吾老矣。"某曰："公无自弃。平日为恶，即属纩时干一好事，不失为改过之鬼，况一息尚存乎？”

既做人在世间，便要劲爽爽、立铮铮的。若如春蚓秋蛇，风花雨絮，一生靠人作骨，恰似世上多了这个人。

有人于此，精密者病其疏，靡绮者病其陋，繁缛者病其简，谦恭者病其倨，委曲者病其直，无能可于一世之人，奈何？曰：一身怎可得一世之人，只自点检吾身，果如所病否？若以一身就众口，孔子不能，即能之，成个甚么人品？故君子以中道为从违，不以众言为忧喜。

夫礼非徒亲人，乃君子之所以自爱也；非徒尊人，乃君子之所以敬身也。

君子之出言也，如啬夫之用财；其见义也，如贪夫之趋利。

古之人勤励，今之人惰慢。勤励故精明，而德日修；惰慢故昏蔽，而欲日肆。是以圣人贵“忧勤惕励”。

先王之礼文用以饰情，后世之礼文用以饰伪。饰情则三千三百，虽至繁也，不害其为率真；饰伪则虽一揖一拜，已自多矣。后之恶饰伪者，乃一切苟简决裂，以溃天下之防，而自谓之率真，将流于伯子之简而不可行，又礼之贼也。

清者，浊所妒也，而又激之，浅之乎其为量矣。是故君子于己讳美，于人藏疾。若有激浊之任者，不害其为分晓。

处世以讥讪为第一病痛。不善在彼，我何与焉？

余待小人不能假辞色，小人或不能堪。年友王道源危之曰：“今世居官切宜戒此。法度是朝廷底，财货是百姓底，真借不得人情。至于辞色，却是我底，假借些儿何害？”余深感之，因识而改焉。

刚、明，世之碍也。刚而婉，明而晦，免祸也夫！

君子之所持循，只有两条路：非先圣之成规，则时王之定制。此外悉邪也、俗也，君子不由。

非直之难，而善用其直之难；非用直之难，而善养其直之难。

处身不妨于薄，待人不妨于厚；责己不妨于厚，责人不妨于薄。

坐于广众之中，四顾而后语，不先声，不扬声，不独声。

苦处是正容谨节，乐处是手舞足蹈。这个乐又从那苦处来。

滑稽诙谐，言毕而左右顾，惟恐人无笑容，此所谓“巧言令色”者也。小人侧媚皆此态耳。小子戒之。

人之视小过也，愧作悔恨如犯大恶，夫然后能改。“无伤”二字，修己者之大戒也。

有过是一过，不肯认过又是一过。一认则两过都无，一不认则两过不免。彼强辩以饰非者，果何为也？

一友与人争，而历指其短。予曰：“于十分中，君有一分不是否？”友曰：“我难说没一二分。”予曰：“且将这一二分都没了，才好责人。”

余二十年前曾有心迹双清之志，十年来有四语云：“行欲清，名欲浊；道欲进，身欲退；利欲后，害欲前；人欲丰，已欲约。”近看来太执着，太矫激，只以无心任自然，求当其可耳。名迹一任去来，不须照管。

君子之为善也，以为理所当为，非要福，非干禄；其不为不善也，以为理所不当为，非惧祸，非远罪。至于垂世教，则谆谆以祸福刑赏为言。此天地圣王劝惩之大权，君子不敢不奉若而与众共守也。

茂林芳树，好鸟之媒也；污池浊渠，秽虫之母也，气类之自然也。善不与福期，恶不与祸招。君子见正人而合，邪人见憸[①]夫而密。

【注释】

①憸（xiān）：奸邪。

吾观于射，而知言行矣。夫射审而后发，有定见也；满而后发，有定力也。夫言能审满，则言无不中；行能审满，则行无不得。今之言行皆乱放矢也，即中，幸耳。

蜗以涎见觅，蝉以声见粘，萤以光见获。故爱身者，不贵赫赫之名。

大相反者大相似，此理势之自然也。故怒极则笑，喜极则悲。

敬者，不苟之谓也，故反苟为敬。

多门之室生风，多口之人生祸。

磨砖砌壁不涂以垩，恶掩其真也。一垩则人谓粪土之墙矣。凡外饰者，皆内不足者。至道无言，至言无文，至文无法。

苦毒易避，甘毒难避。晋人之璧马，齐人之女乐，越人之子女玉帛，其毒甚矣，而愚者如饴，即知之亦不复顾也。由是推之，人皆有甘毒，不必自外馈，而眈眈求之者且众焉。岂独虞人、鲁人、吴人愚哉？知味者可以惧矣。

好逸恶劳，甘食悦色，适己害群，择便逞忿，虽鸟兽亦能之。灵于万物者，当求有别，不然，类之矣。且凤德麟仁，鹤清豸直，乌孝雁贞，苟择鸟兽之有知者而效法之，且不失为君子矣，可以人而不如乎？

万事都要个本意。宫室之设，只为安居；衣之设，只为蔽体；食之设，只为充饥；器之设，只为利用；妻之设，只为有后。推此类不可尽穷。苟知其本意，只在本意上求，分外的都是多了。

士大夫殃及子孙者有十：一曰优免太侈，二日侵夺太多，三曰请托灭公，四曰恃势凌人，五曰困累乡党，六曰要结权贵，损国病人，七曰盗上剥下以实私囊，八曰簧鼓邪说摇乱国是，九曰树党报复阴中善人，十曰引用邪昵，虐民病国。

儿辈问立身之道。曰：“本分之内，不欠纤微；本分之外，不加毫末。今也舍本分弗图，而加于本分之外者，不啻千万矣。内外之分何处别白？况敢问纤微毫末间耶？”

智者不与命斗，不与法斗，不与理斗，不与势斗。

学者事事要自责，慎无责人。人不可我意，自是我无量；我不可人意，自是我无能。时时自反，才德无不进之理。

气质之病小，心术之病大。

童心、俗态，此二者士人之大耻也。二耻不脱，终不可以入君子之路。

习威仪容止，甚不打紧，必须是瑟僴中发出来，才是盛德光辉。那个不严厉？不放肆？庄重不为矜持，戏谑不为媟慢。惟有道者能之，惟有德者识之。

容貌要沉雅自然，只有一些浮浅之色，作为之状，便是屋漏少工夫。

德不怕难积，只怕易累。千日之积不禁一日之累，是故君子防所以累者。

枕席之言，房闼之行，通乎四海。墙卑室浅者无论，即宫禁之深严，无有言而不知，动而不闻者。士君子不爱名节则已，如有一毫自好之心，幽独言动可不慎与？

富以能施为德，贫以无求为德，贵以下人为德，贱以忘势为德。

入庙不期敬而自敬，入朝不期肃而自肃，是以君子慎所入也。见严师则收敛，见狎友则放恣，是以君子慎所接也。

《氓》之诗，悔恨之极也，可为士君子殷鉴，当三复之。唐诗有云：“雨落不上天，水覆难再收。”又近世有名言一偶云：“一失脚为千古恨，再回头是百年身。”此语足道《氓》诗心事，其曰“亦已焉哉”。所谓“何嗟及矣”，无可奈何之辞也。

平生所为，使怨我者得以指摘，爱我者不能掩护，此省身之大惧也。士君子慎之。故我无过，而谤语滔天不足惊也，可谈笑而受之；我有过，而幸不及闻，当寝不贴席、食不下咽矣。是以君子贵“无恶于志”。

谨言慎动，省事清心，与世无碍，与人无求，此谓小跳脱。

身要严重，意要安定，色要温雅，气要和平，语要简切，心要慈祥，志要果毅，机要缜密。

善养身者，饥渴、寒暑、劳役，外感屡变，而气体若一，未尝变也；善养德者，死生、荣辱、夷险，外感屡变，而意念若一，未尝变也。夫藏令之身，至发扬时而解㑊[①]；长令之身，至收敛时而郁阏，不得谓之定气。宿称镇静，至仓卒而色变；宿称淡泊，至纷华而心动，不得谓之定力。斯二者皆无养之过也。

【注释】

①解㑊（yì）：人体不适而又无病可名为解㑊。

里面要活泼，于规矩之中无令怠忽；外面要摆脱，于礼法之中无令矫强。

四十以前养得定，则老而愈坚；养不定，则老而愈坏。百年实难，是以君子进德修业贵及时也。

涵养如培脆萌，省察如搜田蠹，克治如去盘根。涵养如女子坐幽闺，省察如逻卒缉奸细，克治如将军战勍敌。涵养用勿忘勿助工夫，省察用无怠无荒工夫，克治用是绝是忽工夫。

世上只有个道理是可贪可欲的，初不限于取数之多，何者？所性分定原是无限量的，终身行之不尽。此外都是人欲，最不可萌一毫歆羡心。天之生人各有一定的分涯，圣人制人各有一定的品节，譬之担夫欲肩舆，丐人欲鼎食，徒尔劳心，竟亦何益？嗟夫！篡夺之所由生，而大乱之所由起，皆耻其分内之不足安，而惟见分外者之可贪可欲故也。故学者养心先要个知分。知分者，心常宁，欲常得，所欲得自足以安身利用。

心术以光明笃实为第一，容貌以正大老成为第一，言语以简重真切为第一。

学者只把性分之所固有，职分之所当为，时时留心，件件努力，便骎骎乎圣贤之域。非此二者，皆是对外物，皆是妄为。

进德莫如不苟，不苟先要个耐烦。今人只为有躁心而不耐烦，故一切苟且，卒至破大防而不顾，弃大义而不为，其始皆起于一念之苟也。

不能长进，只为"昏弱"两字所苦。昏宜静以澄神，神定则渐精明；弱宜奋以养气，气壮则渐强健。

一切言行，只是平心易气就好。

恣纵既成，不惟礼法所不能制，虽自家悔恨，亦制自家不得。善爱人者，无使恣纵；善自爱者，亦无使恣纵。

天理与人欲交战时，要如百战健儿，九死不移，百折不回，其奈我何？如何堂堂天君，却为人欲臣仆？内款受降，腔子中成甚世界？

有问密语者，嘱曰："望以实心相告。"余笑曰："吾内有不可瞒之本心，上有不可欺之天日，在本人有不可掩之是非，在通国有不容泯之公论，一有不实，自负四愆矣。何暇以貌言诳门下哉？"

士君子澡心浴德，要使咳唾为玉，便溺皆香，才见工夫圆满。若灵台中有一点污浊，便如瓜蒂藜芦入胃，不呕吐尽不止，岂可使一刻容留此中耶？夫如是，然后溷厕可沉，缁泥可入。

与其抑暴戾之气，不若养和平之心；与其裁既溢之恩，不若绝分外之望；与其为后事之厚，不若施先事之簿；与其服延年之药，不若守保身之方。

猥繁拂逆，生厌恶心，奋宁耐之力；柔艳芳浓，生沾惹心，奋跳脱之力；推挽冲突，生随逐心，奋执持之力；长途末路，生衰歇心，奋鼓舞之力；急遽疲劳，生苟且心，奋敬慎之力。

进道入德，莫要于有恒。有恒则不必欲速，不必助长，优优渐渐自到神圣地位。故天道只是个恒，每日定准是三百六十五度四分度之一，分毫不损不加，流行不缓不急，而万古常存，万物得所。只无恒了，万事都成不得。余最坐此病。古人云："有勤心，无远道。"只有人胜道，无道胜人之理。

士君子只求四真：真心、真口、真耳、真眼。真心，无妄念；真口，无杂语；真耳，无邪闻；真眼，无错识。

愚者人笑之，聪明者人疑之。聪明而愚，其大智也。夫《诗》云"靡哲不愚"，则知不愚非哲也。

以精到之识，用坚持之心，运精进之力，便是金石可穿，豚鱼可格，更有甚么难做之事功？难造之圣神？士君子碌碌一生，百事无成，只是无志。

其有善而彰者，必其有恶而掩者也。君子不彰善以损德，不掩恶以长慝。

余日日有过，然自信过发吾心，如清水之鱼，才发即见，小发即觉，所以卒不得遂其豪悍，至流浪不可收拾者。胸中是非，原先有以照之也。所以常发者何也？只是心不存，养不定。

才为不善，怕污了名儿，此是徇外心，苟可瞒人，还是要做；才为不善，怕污了身子，此是为己心，即人不知，或为人疑谤，都不照管。是故欺大庭易，欺屋漏难；欺屋漏易，欺方寸难。

吾辈终日不长进处，只是个怨尤两字，全不反己。圣贤学问，只是个自责自尽。自责自尽之道原无边界，亦无尽头。若完了自家分数，还要听其在天，在人不敢怨尤。况自家举动又多鬼责人非底罪过，却敢怨尤邪？以是知自责自尽底人，决不怨尤；怨尤底人，决不肯自责自尽。吾辈不可不自家一照看，才照看，便知天人待我原不薄恶，只是我多惭负处。

果是瑚琏[①]，人不忍以盛腐殠[②]；果是荼蓼[③]，人不肯以荐宗祊[④]；履也，人不肯以加诸首；冠也，人不忍以籍其足。物犹然，而况于人乎？荣辱在所自树，无以致之，何由及之？此自修者所当知也。

【注释】

①瑚琏：古代祭祀时用的器物。②殠（chòu）：腐臭的气味。③荼蓼（liǎo）：野草。④宗祊（bēng）：宗庙。

无以小事动声色，亵大人之体。

立身行己，服人甚难，也要看甚么人不服。若中道君子不服，当蚤夜省惕。其意见不同、性术各别、志向相反者，只要求我一个是，也不须与他别白理会。

其恶恶不严者，必有恶于己者也；其好善不亟者，必无善于己者也。仁人之好善也，不啻口出；其恶恶也，迸诸四夷不与同中国。孟子曰："无羞恶之心，非人也。"则恶恶亦君子所不免者，但恐为己私作恶，在他人非可恶耳。若民之所恶而不恶，谓为民之父母，可乎？

世人糊涂，只是抵死没自家不是，却不自想，我是尧、舜乎？果是尧、舜，真是没一毫不是？我若是汤、武，未反之前也有分毫错误。如何盛气拒人，巧言饰己，再不认一分过差耶？

"懒散"二字，立身之贼也。千德万业，日怠废而无成；千罪万恶，日横恣而无制，皆此二字为之。西晋仇礼法而乐豪放，病本正在此。安肆日偷，安肆，懒散之谓也。此圣贤之大戒也。甚么降伏得此之字，日"勤慎"。勤慎者，敬之谓也。

不难天下相忘，只怕一人窃笑。夫举世之不闻道也久矣，而闻道者未必无人。苟为闻道者所知，虽一世非之可也；苟为闻道者所笑，虽天下是之，终非纯正之学。故曰：众皆悦之，其为士者笑之，有识之君子必不以众悦博一笑也。

以圣贤之道教人易，以圣贤之道治人难，以圣贤之道出口易，以圣贤之道躬行难；以圣贤之道奋始易，以圣贤之道克终难；以圣贤之道当人易，以圣贤之道慎独难；以圣贤之道口耳易，以圣贤之道心得难；以圣贤之道处常易，以圣贤之道处变难。过此六难，真到圣贤地步。区区六易，岂不君子路上人？终不得谓笃实之士也。

山西臬司书斋，余新置一榻，铭于其上左曰："尔酣馀梦，得无有宵征露宿者乎？尔炙重衾，得无有抱肩裂肤者乎？古之人卧八埏[1]于襁褓，置万姓于衽席，而后爽然得一夕之安。呜呼！古之人亦人也夫？古之民亦民也夫？"右曰："独室不触欲，君子所以养精；独处不交言，君子所以养气；独魂不着碍，君子所以养神；独寝不愧衾，君子所以养德。"

【注释】

①八埏（yán）：八方的边际。

慎者之有馀，足以及人；不慎者之所积，不能保身。

近世料度人意，常向不好边说去，固是衰世人心无忠厚之意。然士君子不可不自责。若是素行孚人，便是别念头，人亦向好边料度，何者？所以自立者，足信也。是故君子慎所以立。

人不自爱，则无所不为；过于自爱，则一无可为。自爱者，先占名，实利于天下国家，而迹不足以白其心则不为；自爱者，先占利，有利于天下国家，而有损于富贵利达则不为。上之者即不为富贵利达，而有累于身家妻子则不为。天下事待其名利两全而后为之，则所为者无几矣。

与其喜闻人之过，不若喜闻己之过；与其乐道己之善，不若乐道人之善。

要非人，先要认的自家是个甚么人；要认的自家，先看古人是个甚么人。

口之罪大于百体，一进去百川灌不满，一出来万马追不回。

家长不能令人敬，则教令不行；不能令人爱，则心志不孚。

自心得者，尚不能必其身体力行，自耳目入者，欲其勉从而强改焉，万万其难矣。故三达德不恃知也，而又欲其仁；不恃仁也，而又欲其勇。

合下作人自有作人道理，不为别个。

认得真了，便要不俟终日，坐以待旦，成功而后止。

人生惟有说话是第一难事。

或问修己之道。曰："无鲜克有终。"问治人之道。曰："无忿疾于顽。"

人生天地间，要做有益于世底人。纵没这心肠、这本事，也休作有损于世底人。

说话如作文，字字在心头打点过，是心为草稿而口誊真也，犹不能无过，而况由易之言，真是病狂丧心者。

心不坚确，志不奋扬，力不勇猛，而欲徙义改过，虽千悔万悔，竟无补于分毫。

人到自家没奈自家何时，便可恸哭。

福莫美于安常，祸莫危于盛满。天地间万物万事未有盛满而不衰者也。而盛满各有分量，惟智者能知之。是故卮以一勺为盛满，瓮以数石为盛满。有瓮之容而怀勺之惧，则庆有馀矣。

祸福是气运，善恶是人事。理常相应，类亦相求。若执福善祸淫之说，而使之不爽，则为善之心衰矣。大段气运只是偶然，故善获福、淫获祸者半，善获祸、淫获福者亦半，不善不淫而获祸获福者亦半。人事只是个当然，善者获福，吾非为福而修善；淫者获祸，吾非为祸而改淫。善获祸而淫获福，吾宁善而处祸，不肯淫而要福。是故君子论天道不言祸福，论人事不言利害。自吾性分当为之外，皆不庸心，其言祸福利害，为世教发也。

自天子以至于庶人，未有无所畏而不亡者也。天子者，上畏天，下畏民，畏言官于一时，畏史官于后世。百官畏君，群吏畏长吏，百姓畏上，君子畏公议，小人畏刑，子弟畏父兄，卑幼畏家长。畏则不敢肆而德以成，无畏则从其所欲而及于祸。非生知安行之圣人，未有无所畏而能成其德者也。

物忌全盛，事忌全美，人忌全名。是故天地有欠缺之体，圣贤无快足之心。而况琐屑群氓，不安浅薄之分，而欲满其难厌之欲，岂不妄哉？是以君子见益而思损，持满而思溢，不敢恣无涯之望。

静定后看自家是甚么一个人。

少年大病，第一怕是气高。

余参政东藩日，与年友张督粮临碧在座。余以朱判封，笔浓字大，临碧曰："可惜！可惜！"余擎笔举手曰："年兄此一念，天下受其福矣。判笔一字所费丝毫硃耳，积日积岁，省费不知几万倍。充用朱之心，万事皆然。天下各衙门积日积岁省费又不知几万倍。且心不侈然自放，足以养德；财不侈然浪费，足以养福。不但天物不宜暴殄，民膏不宜慢弃而已。夫事有重于费者，过费不为奢；省有不废事者，过省不为吝。"余在抚院日，不俭于纸，而戒示吏书片纸皆使有用。比见富贵家子弟，用财货如泥沙，长馀之惠既不及人，有用之物皆弃于地，胸中无不忍一念，口中无可惜两字。人或劝之，则曰："所值几何？"余尝号为沟壑之鬼，而彼方侈然自快，以为大手段，不小家势。痛哉！儿曹志之。

言语不到千该万该，再休开口。

今人苦不肯谦，只要拿得架子定，以为存体。夫子告子张从政，以无小大、无众寡、无敢慢为不骄。而周公为相，吐握下白屋，甚者父师有道之君子。不知损了甚体？若名分所在，自是贬损不得。

过宽杀人，过美杀身。是以君子不纵民情以全之也，不盈己欲以生之也。

闺门之事可传，而后知君子之家法矣；近习之人起敬，而后知君子之身法矣。其作用处只是无不敬。

宋儒纷纷聚讼语且莫理会，只理会自家，何等简径。

各自责，则天清地宁；各相责，则天翻地覆。

不逐物是大雄力量，学者第一工夫全在这里做。

手容恭，足容重，头容直，口容止，坐如尸，立如斋，俨若思，目无狂视，耳无倾听，此外景也。外景是整齐严肃，内景是斋庄中正，未有不整齐严肃而能斋庄中正者。故检束五官百体，只为收摄此心。此心若从容和顺于礼法之中，则曲肱指掌、浴沂行歌、吟风弄月、随柳傍花，何适不可？所谓登彼岸无所事筏也。

天地位，万物育，几千年有一会，几百年有一会，几十年有一会。故天地之中和甚难。

敬对肆而言。敬是一步一步收敛向内，收敛至无内处，发出来自然畅四肢，发事业，弥漫六合；肆是一步一步放纵外面去，肆之流祸不言可知。所以千古圣人只一敬字为允执的关捩子。尧钦明允恭，舜温恭允塞，禹之安汝止，汤之圣敬日跻，文之懿恭，武之敬胜，孔子之恭而安。讲学家不讲这个，不知怎么做工夫。

窃叹近来世道，在上者积宽成柔，积柔成怯，积怯成畏，积畏成废；在下者积慢成骄，积骄成怨，积怨成横，积横成敢。吾不知此时治体当何如反也。“体面”二字，法度之贼也。体面重，法度轻；法度弛，纪纲坏。昔也病在法度，今也病在纪纲。名分者，纪纲之大物也。今也在朝小臣藐大臣，在边军士轻主帅，在家子妇蔑父母，在学校弟子慢师，后进凌先进，在乡里卑幼轧尊长。惟贪肆是恣，不知礼法为何物。渐不可长，今已长矣，极之必乱必亡。势已重矣，反已难矣。无识者犹然甚之，奈何？

祸福者，天司之；荣辱者，君司之；毁誉者，人司之；善恶者，我司之。我只理会我司，别个都莫照管。

吾人终日最不可悠悠荡荡，作空躯壳。

业有不得不废时。至于德，则自有知以至无知时，不可一息断进修之功也。

清无事澄，浊降则自清；礼无事复，己克则自复。去了病，便是好人；去了云，便是晴天。

七尺之躯，戴天覆地，抵死不屈于人。乃自落草，以至盖棺，降志辱身，奉承物欲，不啻奴隶，到那魂升于天之上，见那维皇上帝，有何颜面？愧死！愧死！

受不得诬谤，只是无识度。除是当罪临刑，不得含冤而死，须是辨明。若污蔑名行，闲言长语，愈辨则愈加，徒自愤懑耳。不若付之忘言，久则明也得，不明也得，自有天在耳。

作一节之士也要成章，不成章便是“苗而不秀”。

不患无人所共知之显名，而患有人所不知之隐恶。显名虽著远迩，而隐恶获罪神明，省躬者惧之。

蹈邪僻，则肆志抗颜，略无所顾忌；由义礼，则羞头愧面，若无以自容。此愚不肖之恒态，而士君子之大耻也。

物欲生于气质。

问学

学必相讲而后明，讲必相直而后尽。孔门师友不厌穷问极言，不相然诺承顺，所谓审问明辨也。故当其时，道学大明，如拨云披雾，白日青天，无纤毫障蔽。讲学须要如此，无坚自是之心，恶人相直也。

“熟思审处”，此四字德业之首务；“锐意极力”，此四字德业之要务；“有渐无已”，此四字德业之成务；“深忧过计”，此四字德业之终务。

静是个见道的妙诀，只在静处潜观，六合中动的机括都解破。若见了，还有个妙诀以守之，只是一。一是大根本，运这一却要因时通变。

学者只该说下学，更不消说上达。其未达也，空劳你说；其既达也，不须你说。故“一贯”惟参、赐可与，又到可语地位才语。又一个直语之，一个启语之，便见孔子诲人妙处。

读书人最怕诵底是古人语，做底是自家人。这等读书虽闭户十年，破卷五车，成甚么用！

能辨真假是一种大学问。世之所抵死奔走者，皆假也。万古惟有真之一字磨灭不了，盖藏不了。此鬼神之所把握，风雷之所呵护；天地无此不能发育，圣人无此不能参赞；朽腐得此可为神奇，鸟兽得此可为精怪。道也者，道此也；学也者，学此也。

或问："孔子素位而行，非政不谋，而儒者著书立言，便谈帝王之略，何也？"曰："古者十五而入大学，修齐治平，此时便要理会。故陋巷而问为邦，布衣而许南面。由、求之志富强，孔子之志三代，孟子乐'中天下而立定四海之民'，何曾便到手，但所志不得不然。所谓'如或知尔，则何以哉'，要知以个甚么；'苟有用我者，执此以往'，要知此是甚么；'大人之事备矣'，要知备个甚么。若是平日如醉梦一不讲求，到手如痴呆胡乱了事。如此作人，只是一块顽肉，成甚学者。即有聪明材辨之士，不过学眼前见识，作口头话说，妆点支吾亦足塞责。如此作人，只是一场傀儡，有甚实用。修业尽职之人，到手未尝不学，待汝学成，而事先受其敝，民已受其病，寻又迁官矣。譬之饥始种粟，寒始纺绵，怎得奏功？此凡事所以贵豫也。"

不由心上做出，此是喷叶学问；不在独中慎起，此是洗面工夫，成得甚事。

"尧、舜事功，孔、孟学术"，此八字是君子终身急务。或问："尧、舜事功，孔、孟学术，何处下手？"曰："以天地万物为一体，此是孔、孟学术；使天下万物各得其所，此是尧、舜事功。总来是一个念头。"

上吐下泻之疾，虽日进饮食，无补于憔悴；入耳出口之学，虽日事讲究，无益于身心。

天地万物只是个"渐"，理气原是如此，虽欲不渐不得。而世儒好讲一"顿"字，便是无根学问。

只人人去了我心，便是天清地宁世界。

塞乎天地之间，尽是浩然了。愚谓根荄[①]须栽入九地之下，枝梢须插入九天之上，横拓须透过八荒之外，才是个圆满工夫，无量学问。

【注释】

①荄（gāi）：草根。

我信得过我，人未必信得过我，故君子避嫌。若以正大光明之心如青天白日，又以至诚恻怛之意如火热水寒，何嫌之可避。故君子学问第一要体信，只信了，天下无些子事。

要体认，不须读尽古今书，只一部《千字文》，终身受用不尽。要不体认，即三坟以来卷卷精熟，也只是个博学之士，资谈口、侈文笔、长盛气、助骄心耳。故君子贵体认。

悟者，吾心也。能见吾心，便是真悟。

明理省事，此四字学者之要务。

今人不如古人，只是无学无识。学识须从三代以上来，才正大，才中平。今只将秦汉以来见识抵死与人争是非，已自可笑；况将眼前闻见、自己聪明，翘然不肯下人，尤可笑也。

学者大病痛，只是器度小。

识见议论，最怕小家子势。

默契之妙，越过六经千圣，直与天地谈，又不须与天交一语，只对越仰观，两心一个耳。

学者只是气盈，便不长进。含六合如一粒，觅之不见；吐一粒于六合，出之不穷，可谓大人矣。而自处如庸人，初不自表异；退让如空夫，初不自满足，抵掌攘臂而视世无人，谓之以善服人则可。

心术、学术、政术，此三者不可不辨也。心术要辨个诚伪，学术要辨个邪正，政术要辨个王伯[①]。总是心术诚了，别个再不差。

【注释】

①王伯：即王霸，指王业与霸业。

圣门学问心诀，只是不做贼就好。或问之。曰：“做贼是个自欺心，自利心，学者于此二心，一毫摆脱不尽，与做贼何异？”

脱尽“气习”二字，便是英雄。

理以心得为精，故当沉潜。不然，耳边口头也。事以典故为据，故当博洽。不然，臆说杜撰也。

天是我底天，物是我底物。至诚所通，无不感格，而乃与之扞格抵牾，只是自修之功未至。自修到格天动物处，方是学问，方是工夫。未至于此者，自愧自责不暇，岂可又萌出个怨尤底意思？

世间事无巨细，都有古人留下底法程。才行一事，便思古人处这般事如何；才处一人，便思古人处这般人如何。至于起居、言动、语默，无不如此，久则古人与稽，而动与道合矣。其要在存心，其工夫又只在诵诗读书时便想曰：“此可以为我某事之法，可以药我某事之病。”如此则临事时触之即应，不待思索矣。

扶持资质，全在学问，任是天资近圣，少此二字不得。三代而下无全才，都是负了在天的，欠了在我的，纵做出掀天揭地事业来，仔细看他，多少病痛！

劝学者歆之以名利，劝善者歆之以福祥。哀哉！

道理书尽读，事务书多读，文章书少读，闲杂书休读，邪妄书焚之可也。

君子知其可知，不知其不可知。不知其可知则愚，知其不可知则凿。

余有责善之友，既别两月矣，见而问之曰：“近不闻仆有过？”友曰：“子无过。”余曰：“此吾之大过也。有过之过小，无过之过大，何者？拒谏自矜而人不敢言，饰非掩恶而人不能知，过有大于此者乎？使余即圣人也，则可。余非圣人，而人谓无过，余其大过哉！”

工夫全在冷清时，力量全在浓艳时。

万仞崚嶒而呼人以登，登者必少。故圣人之道平，贤者之道峻。穴隙迫窄而招人以入，入者必少。故圣人之道博，贤者之道狭。

以是非决行止，而以利害生悔心，见道不明甚矣。

自天子以至于庶人，自尧、舜以至于途之人，必有所以汲汲皇皇者，而后其德进，其业成。故曰鸡鸣而起，舜、跖之徒皆有所孳孳[①]也。无所用心，孔子忧之曰："不有博奕者乎？"惧无所孳孳者，不舜则跖也。今之君子纵无所用心，而不至于为跖，然饱食终日，惰慢弥年，既不作山林散客，又不问庙堂急务，如醉如痴，以了日月。《易》所谓"君子进德修业，欲及时也"，果是之谓乎？如是而自附于清品高贤，吾不信也。孟子论历圣道统心传，不出忧勤惕励四字。其最亲切者，曰："仰而思之，夜以继日；幸而得之，坐以待旦。"此四语不独作相，士、农、工、商皆可作座右铭也。

【注释】

①孳（zī）孳：勤勉。

怠惰时看工夫，脱略时看点检，喜怒时看涵养，患难时看力量。

今之为举子文者，遇为学题目，每以知行作比。试思知个甚么？行个甚么？遇为政题目，每以教养作比。试问做官养了那个？教了那个？若资口舌浮谈，以自致其身，以要国家宠利，此与诓骗何异？吾辈宜惕然省矣。

圣人以见义不为属无勇，世儒以知而不行属无知。圣人体道有三达德，曰：智、仁、勇。世儒曰知行只是一个，不知谁说得是？愚谓自道统初开，工夫就是两项，曰惟精，察之也；曰惟一，守之也。千圣授受，惟此一道。盖不精则为孟浪之守，不一则为想象之知。曰思，曰学，曰致知，曰力行，曰至明，曰至健，曰问察，曰用中，曰择乎中庸、服膺勿失，曰非知之艰、惟行之艰，曰非苟知之、亦允蹈之，曰知及之、仁守之，曰不明乎善、不诚乎身。

自德性中来，生死不变；自识见中来，则有时而变矣。故君子以识见养德性。德性坚定则可生可死。

“昏弱”二字是立身大业障，去此二字不得，做不出一分好人。

学问之功，生知圣人亦不敢废。不从学问中来，任从有掀天揭地事业，都是气质作用。气象岂不炫赫可观，一入圣贤秤尺，坐定不妥帖。学问之要如何？随事用中而已。

学者，穷经博古，涉事筹今，只见日之不足，惟恐一登荐举，不能有所建树。仕者，修政立事，淑世安民，只见日之不足，惟恐一旦升迁，不获竟其施为。此是确实心肠，真正学问，为学为政之得真味也。

进德修业在少年，道明德立在中年，义精仁熟在晚年。若五十以前德性不能坚定，五十以后愈懒散，愈昏弱，再休说那中兴之力矣。

世间无一件可骄人之事。才艺不足骄人，德行是我性分事，不到尧、舜、周、孔，便是欠缺，欠缺便自可耻，如何骄得人？

有希天之学，有达天之学，有合天之学，有为天之学。

圣学下手处，是无不敬；住脚处，是恭而安。

小家学问不可以语广大，溷障学问不可以语易简。

天下至精之理，至难之事，若以潜玩沉思求之，无厌无躁，虽中人以下，未有不得者。

为学第一工夫，要降得浮躁之气定。

学者万病，只个“静”字治得。

学问以澄心为大根本，以慎口为大节目。

读书能使人寡过，不独明理。此心日与道俱，邪念自不得而乘之。

“无所为而为”，这五字是圣学根源。学者入门念头就要在这上做。今人说话第二三句便落在有所为上来，只为毁誉利害心脱不去，开口便是如此。

己所独知，尽是方便；人所不见，尽得自由。君子必兢兢然细行，必谨小物不遗者，惧工夫之间断也，惧善念之停息也，惧私欲之乘间也，惧自欺之萌蘖也，惧一事苟而其徐皆苟也，惧闲居忽而大庭亦忽也。故广众者，幽独之证佐；言动者，意念之枝叶。意中过，独处疏，而十目十手能指视之者，枝叶、证佐上得之也。君子奈何其慢独？不然，苟且于人不见之时，而矜持于视尔友之际，岂得自然？岂能周悉？徒尔劳心，而慎独君子已见其肺肝矣。

古之学者在心上做工夫，故发之外面者为盛德之符；今之学者在外面做工夫，故反之于心则为实德之病。

事事有实际，言言有妙境，物物有至理，人人有处法，所贵乎学者，学此而已。无地而不学，无时而不学，无念而不学，不会其全、不诣其极不止，此之谓学者。今之学者果如是乎？留心于浩瀚博杂之书，役志于靡丽刻削之辞，耽心于凿真乱俗之技，争胜于烦劳苛琐之仪，可哀矣！而醉梦者又贸贸昏昏，若痴若病，华衣甘食而一无所用心，不尤可哀哉？是故学者贵好学，尤贵知学。

天地万物，其情无一毫不与吾身相干涉，其理无一毫不与吾身相发明。

凡字不见经传，语不根义理，君子不出诸口。

古之君子病其无能也，学之；今之君子耻其无能也，讳之。

无才无学，士之羞也；有才有学，士之忧也。夫才学非有之难，而降伏之难。君子贵才学以成身也，非以矜己也；以济世也，非以夸人也。故才学如剑，当可试之时一试，不则藏诸室，无以衒弄，不然，鲜不为身祸者。自古十人而十，百人而百，无一幸免，可不忧哉？

人生气质都有个好处，都有个不好处。学问之道无他，只是培养那自家好处，救正那自家不好处便了。

道学不行，只为自家根脚站立不住。或倡而不和，则势孤；或守而众挠，则志惑；或为而不成，则气沮；或夺于风俗，则念杂。要挺身自拔，须是有万夫莫当之勇，死而后已之心。不然，终日三五聚谈，焦唇敝舌，成得甚事？

役一己之聪明，虽圣人不能智；用天下之耳目，虽众人不能愚。

涵养不定底，自初生至盖棺时凡几变，即知识已到，尚保不定毕竟作何种人，所以学者要德性坚定。到坚定时，随常变、穷达、生死只一般；即有难料理处，亦自无难。若平日不遇事时，尽算好人，一遇个小小题目，便考出本态，假遇着难者、大者，知成个甚么人？所以古人不可轻易笑，恐我当此，未便在渠上也。

屋漏之地可服鬼神，室家之中不厌妻子，然后谓之真学、真养。勉强于大庭广众之中，幸一时一事不露本象，遂称之曰贤人君子，恐未必然。

这一口呼吸去，万古再无复返之理。呼吸暗积，不觉白头，静观君子所以抚髀而爱时也。然而爱时不同，富贵之士叹荣显之未极，功名之士叹事业之未成，放达之士恣情于酒以乐馀年，贪鄙之士苦心于家以遗后嗣。然犹可取者，功名之士耳。彼三人者，何贵于爱时哉？惟知道君子忧年数之日促，叹义理之无穷，天生此身无以称塞，诚恐性分有缺，不能全归，错过一生也。此之谓真爱时。所谓此日不再得，此日足可惜者，皆救火追亡之念，践形尽性之心也。呜呼！不患无时，而患弃时。苟不弃时，而此心快足，虽夕死何恨？不然，即百岁，幸生也。

身不修而惴惴焉，毁誉之是恤；学不进而汲汲焉，荣辱之是忧，此学者之通病也。

冰见烈火，吾知其易易也，然而以炽炭铄坚冰，必舒徐而后尽；尽为寒水，又必待舒徐而后温；温为沸汤，又必待舒徐而后竭。

夫学岂有速化之理哉？是故善学者无躁心，有事勿忘从容以俟之而已。

学问大要，须把天道、人情、物理、世故识得透彻，却以胸中独得中正底道理消息之。

与人为善，真是好念头。不知心无理路者，淡而不觉；道不相同者，拂而不入。强聒杂施，吾儒之戒也。孔子启愤发悱，复三隅，中人以下不语上，岂是倦于诲人？谓两无益耳。 故大声不烦奏，至教不苟传。

罗百家者，多浩瀚之词；工一家者，有独诣之语。学者欲以有限之目力，而欲竟其津涯；以卤莽之心思，而欲探其蕴奥，岂不难哉？故学贵有择。

讲学人不必另寻题目，只将四书六经发明，得圣贤之道，精尽有心得。此心默契千古，便是真正学问。

善学者如闹市求前，摩肩重足，得一步便紧一步。

有志之士要百行兼修，万善俱足。若只做一种人，硁硁[1]自守，沾沾自多，这便不长进。

【注释】

①硁（kēng）硁：浅薄而固执。

《大学》一部书，统于“明德”两字；《中庸》一部书，统于“修道”两字。

学识一分不到，便有一分遮障。譬之掘河分隔，一界土不通，便是一段流不去，须是冲开，要一点碍不得。涵养一分不到，便有一分气质。譬之烧炭成熟，一分木未透，便是一分烟不止，须待灼透，要一点烟也不得。

除了“中”字，再没道理；除了“敬”字，再没学问。

心得之学，难与口耳者道；口耳之学，到心得者前，如权度之于轻重短长，一毫掩护不得。

学者只能使心平气和，便有几分工夫。心平气和人遇事却执持担当，毅然不挠，便有几分人品。

学莫大于明分。进德要知是性分，修业要知是职分，所遇之穷通，要知是定分。

一率作，则觉有意味，日浓日艳，虽难事，不至成功不休；一间断，则渐觉疏离，日畏日怯，虽易事，再使继续甚难。是以圣学在无息，圣心曰不已。一息一已，难接难起，此学者之大惧也。余平生德业无成，正坐此病。《诗》曰：“日就月将，学有缉熙于光明。”吾党日宜三复之。

尧、舜、禹、汤、文、武全从“不自满假①”四字做出，至于孔子，平生谦退冲虚，引过自责，只看着世间有无穷之道理，自家有未尽之分量。圣人之心盖如此。孟子自任太勇，自视太高，而孜孜向学，欿欿自歉之意，似不见有。宋儒口中谈论都是道理，身所持循亦不著世俗，岂不圣贤路上人哉？但人非尧、舜，谁无气质稍偏，造诣未至，识见未融，体验未到，物欲未忘底过失？只是自家平生之所不足者，再不肯口中说出，以自勉自责，亦不肯向别人招认，以求相劝相规。所以自孟子以来，学问都似登坛说法，直下承当，终日说短道长，谈天论性，看着自家便是圣人，更无分毫可增益处。只这见识，便与圣人作用已自不同，如何到得圣人地位？

【注释】

①满：充盈。假：大。

性躁急人，常令之理纷解结；性迟缓人，常令之逐猎追奔。推此类，则气质之性无不渐反。

恒言“平稳”二字极可玩。盖天下之事，惟平则稳，行险亦有得的，终是不稳。故君子居易。

二分，寒暑之中也，昼夜分停，多不过七八日。二至，寒暑之偏也，昼夜偏长，每每二十三日。始知中道难持，偏气易胜，天且然也。故尧、舜毅然曰允执，盖以人事胜耳。

里面五分，外面只发得五分，多一厘不得；里面十分，外面自发得十分，少一厘不得。诚之不可掩如此夫，故曰不诚无物。

休蹑着人家脚跟走，此是自得学问。

正门学脉切近精实，旁门学脉奇特玄远；正门工夫戒慎恐惧，旁门工夫旷大逍遥；正门宗指渐次，旁门宗指径顿；正门造诣俟其自然，旁门造诣矫揉造作。

或问："仁、义、礼、智发而为恻隐、羞恶、辞让、是非，便是天则否？"曰："圣人发出来便是天则，众人发出来都落气质，不免有太过不及之病。只如好生一念，岂非恻隐？至以面为牺牲，便非天则。"

学问博识强记易，会通解悟难。会通到天地万物□□□[1]，解悟到幽明古今无间为尤难。

【注释】

□□□：原书字迹模糊不可辨。

强恕是最拙底学问，"三近[1]"人皆可行，下此无工夫矣。

【注释】

①三近：《礼记·中庸》："好学近乎知，力行近乎仁，知耻近乎勇。"

王心斋[1]每以乐为学，此等学问是不曾苦的甜瓜。入门就学乐，其乐也，逍遥自在耳，不自深造真积、忧勤惕励中得来。孔子之乐以忘忧，由于发愤忘食；颜子之不改其乐，由于博约克复。其乐也，优游自得，无意于欢欣，而自不忧，无心于旷达，而自不闷。若觉有可乐，还是乍得心；着意学乐，便是助长心，几何而不为猖狂自恣也乎？

【注释】

①王心斋：即王艮，明朝泰州人。为王阳明门生，泰州学派创始人。

余讲学只主六字，曰天地万物一体。或曰："公亦另立门户耶？"曰："否。只是孔门一个仁字。"

无慎独工夫，不是真学问；无大庭效验，不是真慎独。终日哓哓，只是口头禅耳。

体认要尝出悦心真味，工夫更要进到百尺竿头，始为真儒。向与二三子暑月饮池上，因指水中莲房以谈学问，曰：“山中人不识莲，于药铺买得干莲肉，食之称美。后入市买得久摘鲜莲，食之更称美也。余叹曰：‘渠食池上新摘，美当何如？一摘出池，真味犹漓，若卧莲舟挽碧筒就房而裂食之，美更何如？今之体认皆食干莲肉者也。又如这树上胡桃，连皮吞之，不可谓之不吃，不知此果须去厚肉皮，不则麻口；再去硬骨皮，不则损牙；再去瓤上粗皮，不则涩舌；再去薄皮内萌皮，不则欠细腻。如是而渍以蜜，煎以糖，始为尽美。今之工夫，皆囫囵吞胡桃者也。如此体认，始为精义入神；如此工夫，始为义精仁熟。’”

上达无一顿底。一事有一事之上达，如洒扫应对，食息起居，皆有精义入神处。一步有一步上达，到有恒处达君子，到君子处达圣人，到汤、武圣人达尧、舜。尧、舜自视亦有上达，自叹不如无怀葛天[①]之世矣。

【注释】

①无怀葛天：传说中国上古时部落名。

学者不长进，病根只在护短。闻一善言，不知不肯问；理有所疑，对人不肯问，恐人笑己之不知也。孔文子不耻下问，今也耻上问；颜子以能问不能，今也以不能不问能。若怕人笑，比德山棒，临济喝，法坛对众，如何承受？这般护短，到底成个人笑之人。一笑之耻，而终身之笑顾不耻乎？儿曹戒之。

卷三　内篇·射集

应务

闲暇时留心不成，仓卒时措手不得。胡乱支吾，任其成败，或悔或不悔，事过后依然如昨。世之人如此者，百人而百也。“凡事豫则立”，此五字极当理会。

道眼在是非上见，情眼在爱憎上见，物眼无别白，浑沌而已。

实见得是时，便要斩钉截铁，脱然爽洁，做成一件事，不可拖泥带水，靠壁倚墙。

人定真足胜天。今人但委于天，而不知人事之未定耳。夫冬气闭藏不能生物，而老圃能开冬花，结春实；物性蠢愚不解人事，而鸟师能使雀奕棋，蛙教书，况于能为之人事，而可委之天乎？

责善要看其人何如，其人可责以善，又当自尽长善救失之道。无指摘其所忌，无尽数其所失，无对人，无峭直，无长言，无累言。犯此六戒，虽忠告，非善道矣。其不见听，我亦且有过焉，何以责人？

余行年五十，悟得五不争之味。人问之。曰：“不与居积人争富，不与进取人争贵，不与矜饰人争名，不与简傲人争礼，不与盛气人争是非。”

众人之所混同，贤者执之；贤者之所束缚，圣人融之。

做天下好事，既度德量力，又审势择人。“专欲难成，众怒难犯”。此八字者，不独妄动人宜慎，虽以至公无私之心，行正大光明之事，亦须调剂人情，发明事理，俾大家信从，然后动有成，事可久。盘庚迁殷，武王伐纣，三令五申犹恐弗从。盖恒情多暗于远识，小人不便于己私，群起而坏之，虽有良法，胡成胡久？自古皆然，故君子慎之。

辨学术，谈治理，直须穷到至处，让人不得，所谓宗庙朝廷便便言者。盖道理，古今之道理；政事，国家之政事，务须求是乃已。我两人皆置之度外，非求伸我也，非求胜人也，何让人之有？只是平心易气，为辨家第一法。才声高色厉，便是没涵养。

肤浅之见，偏执之说，傍经据传，也近一种道理，究竟到精处，都是浮说诐辞[①]。所以知言必须胸中有一副极准秤尺，又须在堂上，而后人始从。不然，穷年聚讼，其谁主持耶？

【注释】

①诐（bì）辞：偏邪不正的言论。

纤芥，众人能见，置纤芥于百里外，非骊龙不能见；疑似，贤人能辨，精义而至入神，非圣人不能辨。夫以圣人之辨语贤人，且滋其惑，况众人乎？是故微言不入世人之耳。

理直而出之以婉，善言也，善道也。

因之一字妙不可言。因利者无一钱之费，因害者无一力之劳，因情者无一念之拂，因言者无一语之争。或曰："不几于徇乎？"曰："此转人而徇我者也。"或曰："不几于术乎？"曰："此因势而利导者也。"故惟圣人善用因，智者善用因。

处世常过厚无害，惟为公持法则不可。

天下之物，纡徐柔和者多长，迫切躁急者多短。故烈风骤雨无崇朝[①]之威，暴涨狂澜无三日之势，催拍促调非百板之声，疾策紧衔非千里之辔。人生寿夭祸福无一不然，褊急者可以思矣。

【注释】

①崇朝：从黎明到早饭的时光，比喻短暂。

干天下事无以期限自宽。事有不测，时有不给，常有余于期限之内，有多少受用处！

将事而能弭，当事而能救，既事而能挽，此之谓达权，此之谓才；未事而知其来，始事而要其终，定事而知其变，此之谓长虑，此之谓识。

凡祸患，以安乐生，以忧勤免；以奢肆生，以谨约免；以觖望生，以知足免；以多事生，以慎动免。

任难任之事，要有力而无气；处难处之人，要有知而无言。

撼大摧坚，要徐徐下手，久久见功，默默留意，攘臂极力，一犯手自家先败。

昏暗难谕之识，优柔不断之性，刚愎自是之心，皆不可与谋天下之事。智者一见即透，练者触类而通，困者熟思而得。三者之所长，谋事之资也，奈之何其自用也？

事必要其所终，虑必防其所至。若见眼前快意便了，此最无识。故事有当怒，而君子不怒；当喜，而君子不喜；当为，而君子不为；当已，而君子不已者。众人知其一，君子知其他也。

柔而从人于恶，不若直而挽人于善；直而挽人于善，不若柔而挽人于善之为妙也。

激之以理法，则未至于恶也，而奋然为恶；愧之以情好，则本不徙义也，而奋然向义。此游说者所当知也。

善处世者，要得人自然之情。得人自然之情，则何所不得？失人自然之情，则何所不失？不惟帝王为然，虽二人同行，亦离此道不得。

“察言观色，度德量力”，此八字处世处人一时少不得底。

人有言不能达意者，有其状非其本心者，有其言貌诬其本心者。君子观人，与其过察而诬人之心，宁过恕以逃人之情。

人情，天下古今所同，圣人防其肆，特为之立中以的之。故立法不可太极，制礼不可太严，责人不可太尽，然后可以同归于道。不然，是驱之使畔也。

天下之事，有速而迫之者，有迟而耐之者，有勇而劫之者，有柔而折之者，有愤而激之者，有喻而悟之者，有奖而歆之者，有甚而淡之者，有顺而缓之者，有积诚而感之者，要在相机因时，舛施未有不败者也。

论眼前事，就要说眼前处置，无追既往，无道远图，此等语虽精，无裨见在也。

我益智，人益愚；我益巧，人益拙。何者？相去之远而相责之深也。惟有道者，智能谅人之愚，巧能容人之拙，知分量不相及，而人各有能不能也。

天下之事，只定了便无事。物无定主而争，言无定见而争，事无定体而争。

至人无好恶，圣人公好恶，众人随好恶，小人作好恶。

仆隶下人昏愚者多，而理会人意，动必有合，又千万人不一二也。居上者往往以我责之，不合则艴然怒，甚者继以鞭笞，则彼愈惶惑而错乱愈甚。是我之过大于彼也，彼不明而我当明也，彼无能事上而我无量容下也，彼无心之失而我有心之恶也。若忍性平气，指使而面命之，是两益也。彼我无苦而事有济，不亦可乎？《诗》曰："匪怒伊教。"《书》曰："无忿疾于顽。"此学者涵养气质第一要务也。

古人爱人之意多，今日恶人之意多。爱人，故人易于改过，而视我也常亲，我之教常易行；恶人，故人甘于自弃，而视我也常仇，我之言益不入。

观一叶而知树之死生，观一面而知人之病否，观一言而知识之是非，观一事而知心之邪正。

论理要精详，论事要剀切，论人须带二三分浑厚。若切中人情，人必难堪。故君子不尽人之情，不尽人之过，非直远祸，亦以留人掩饰之路，触人悔悟之机，养人体面之馀，亦天地涵蓄之气也。

“父母在难，盗能为我救之，感乎？”曰：“此不世之恩也，何可以弗感？”“设当用人之权，此人求用，可荐之乎？”曰：“何可荐也？天命有德，帝王之公典也，我何敢以私恩奸之？”“设当理刑之职，此人在狱，可纵之乎？”曰：“何可纵也？天讨有罪，天下之公法也，我何敢以私恩骫[①]之？”曰：“何以报之？”曰：“用吾身时，为之死可也；用吾家时，为之破可也。其他患难与之共可也。”

【注释】

①骫（wěi）：枉曲。

凡有横逆来侵，先思所以取之之故，即思所以处之之法，不可便动气。两个动气，一对小人，一般受祸。

喜奉承是个愚障。彼之甘言卑辞、隆礼过情，冀得其所欲，而免其可罪也。而我喜之感之，遂其不当得之欲，而免其不可已之罪，以自蹈于废公党恶之大咎，以自犯于难事易悦之小人。是奉承人者智巧，而喜奉承者愚也。乃以为相沿旧规，责望于贤者，遂以不奉承恨之，甚者罗织而害之，其获罪国法圣训深矣。此居要路者之大戒也。虽然，奉承人者未尝不愚也。使其所奉承而小人也则可，果君子也，彼未尝不以此观人品也。

疑心最害事。二则疑，不二则不疑。然则圣人无疑乎？曰：“圣人只认得一个理，因理以思，顺理以行，何疑之有？贤人有疑，惑于理也；众人多疑，惑于情也。”或曰：“不疑而为人所欺，奈何？”曰：“学到不疑时自然能先觉。况不疑之学，至诚之学也，狡伪亦不忍欺矣。”

以时势低昂理者，众人也；以理低昂时势者，贤人也；惟理是视，无所低昂者，圣人也。

贫贱以傲为德，富贵以谦为德，皆贤人之见耳。圣人只看理当何如，富贵贫贱除外算。

成心者，见成之心也。圣人胸中洞然清虚，无个见成念头，故曰绝四[①]。今人应事宰物都是成心，纵使聪明照得破，毕竟是意见障。

【注释】

①绝四：指去除意、必、固、我。

凡听言，先要知言者人品，又要知言者意向，又要知言者识见，又要知言者气质，则听不爽矣。

不须犯一口说，不须着一意念，只恁真真诚诚行将去，久则自有不言之信，默成之孚，薰之善良，遍为尔德者矣。碱蓬生于碱地，燃之可碱；盐蓬生于盐地，燃之可盐。

世人相与，非面上则口中也。人之心固不能掩于面与口，而不可测者则不尽于面与口也。故惟人心最可畏，人心最不可知。此天下之陷阱，而古今生死之衢也。余有一拙法，推之以至诚，施之以至厚，持之以至慎，远是非，让利名，处后下，则夷狄鸟兽可骨肉而腹心矣。将令深者且倾心，险者且化德，而何陷阱之予及哉？不然，必予道之未尽也。

处世只一“恕”字，可谓以己及人，视人犹己矣。然有不足以尽者。天下之事，有己所不欲而人欲者，有己所欲而人不欲者。这里还须理会，有无限妙处。

宁开怨府，无开恩窦。怨府难充，而恩窦易扩也；怨府易闭，而恩窦难塞也。闭怨府为福，而塞恩窦为祸也。怨府一仁者能闭之，恩窦非仁、义、礼、智、信备不能塞也。仁者布大德，不干小誉；义者能果断，不为姑息；礼者有等差节文，不一切以苦人情；智者有权宜运用，不张皇以骇闻听；信者素孚人，举措不生众疑，缺一必无全计矣。

君子与小人共事必败，君子与君子共事亦未必无败，何者？意见不同也。今有仁者、义者、礼者、智者、信者五人焉，而共一事，五相济则事无不成，五有主则事无不败。仁者欲宽，义者欲严，智者欲巧，信者欲实，礼者欲文，事胡以成？此无他，自是之心胜，而相持之势均也。历观往事，每有以意见相争至亡人国家，酿成祸变而不顾。君子之罪大矣哉！然则何如？曰：势不可均。势均则不相下，势均则无忌惮而行其胸臆。三军之事，卒伍献计，偏裨谋事，主将断一，何意见之敢争？然则善天下之事，亦在乎通者当权而已。

万弊都有个由来，只救枝叶，成得甚事？

与小人处，一分计较不得，须要放宽一步。

处天下事，只消得“安详”二字。虽兵贵神速，也须从此二字做出。然安详非迟缓之谓也，从容详审，养奋发于凝定之中耳。是故不闲则不忙，不逸则不劳。若先怠缓，则后必急躁，是事之殃也。十行九悔，岂得谓之安详？

果决人似忙，心中常有馀闲；因循人似闲，心中常有馀累。君子应事接物，常赢得心中有从容闲暇时便好。若应酬时劳扰，不应酬时牵挂，极是吃累的。

为善而偏于所向，亦是病。圣人之为善，度德量力，审势顺时，且如发棠不劝，非忍万民之死也，时势不可也。若认煞民穷可悲，而枉己徇人，便是欲矣。

分明不动声色，济之有馀，却露许多痕迹，费许大张皇，最是拙工。

天下有两可之事，非义精者不能择。若到精处，毕竟止有一可耳。

圣人处事，有变易无方底，有执极不变底，有一事而所处不同底，有殊事而所处一致底，惟其可而已。自古圣人，适当其可者，尧、舜、禹、文、周、孔数圣人而已。当可而又无迹，此之谓至圣。

圣人处事，如日月之四照，随物为影；如水之四流，随地成形，己不与也。

使气最害事，使心最害理，君子临事平心易气。

昧者知其一不知其二，见其所见而不见其所不见，故于事鲜克有济①。惟智者能柔能刚，能圆能方，能存能亡，能显能藏，举世惧且疑，而彼确然为之，卒如所料者，见先定也。

【注释】

①鲜克有济：很少有用。鲜，少。克，能。济，益。

字到不择笔处，文到不修句处，话到不检口处，事到不苦心处，皆谓之自得。自得者，与天遇。

无用之朴，君子不贵。虽不事机械变诈，至于德慧术知，亦不可无。

神清人无忽语，机活人无痴事。

非谋之难，而断之难也。谋者尽事物之理，达时势之宜，意见所到，不患其不精也。然众精集而两可，断斯难矣。故谋者较尺寸，断者较毫厘；谋者见一方至尽，断者会八方取中。故贤者皆可与谋，而断非圣人不能也。

人情不便处，便要回避。彼虽难于言，而心厌苦之，此慧者之所必觉也。是以君子体悉人情。悉者，委曲周至之谓也。恤其私，济其愿，成其名，泯其迹，体悉之至也，感人沦于心骨矣。故察言观色者，学之粗也；达情会意者，学之精也。

天下事只怕认不真，故依违观望，看人言为行止。认得真时，则有不敢从之君亲，更那管一国非之，天下非之。若作事先怕人议论，做到中间一被谤诽，消然中止，这不止无定力，且是无定见。民各有心，岂得人人识见与我相同？民心至愚，岂得人人意思与我相信？是以作事君子要见事后功业，休恤事前议论，事成后众论自息。即万一不成，而我所为者，合下便是当为也，论不得成败。

审势量力，固智者事，然理所当为，而值可为之地，圣人必做一番，计不得成败。如围成不克，何损于举动，竟是成当堕耳。孔子为政于卫，定要下手正名。便正不来，去卫也得，只是这个事，定姑息不过。今人做事只计成败，都是利害心害了是非之公。

或问："虑以下人，是应得下他不？"曰："若应得下他，如子弟之下父兄，这何足道？然亦不是卑谄而徇人以非礼之恭，只是无分毫上人之心，把上一著，前一步，尽着别人占，天地间惟有下面底最宽，后面底最长。”

士君子在朝则论政，在野则论俗，在庙则论祭礼，在丧则论丧礼，在边圉则论战守。非其地也，谓之羡谈。

处天下事，前面常长出一分，此之谓豫；后面常馀出一分，此之谓裕。如此则事无不济，而心有馀乐。若扣杀分数做去，必有后悔处。人亦然，施在我，有馀之恩则可以广德；留在人，不尽之情则可以全好。

非首任，非独任，不可为祸福先。福始祸端，皆危道也。士君子当大事时，先人而任，当知“慎果”二字；从人而行，当知“明哲”二字。明哲非避难也，无裨于事而只自没耳。

养态，士大夫之陋习也。古之君子养德，德成而见诸外者有德容。见可怒，则有刚正之德容；见可行，则有果毅之德容。当言，则终日不虚口，不害其为默；当刑，则不宥小故，不害其为量。今之人，士大夫以宽厚浑涵为盛德，以任事敢言为性气，销磨忧国济时者之志，使之就文法，走俗状，而一无所展布。嗟夫！治平之世宜尔，万一多故，不知张眉吐胆、奋身前步者谁也？此前代之覆辙也。

处事先求大体，居官先厚民风。

临义莫计利害，论人莫计成败。

一人覆屋以瓦，一人覆屋以茅，谓覆瓦者曰：“子之费十倍予，然而蔽风雨一也。”覆瓦者曰：“茅十年腐，而瓦百年不碎，子百年十更，而多以工力之费、屡变之劳也。”嗟夫！天下之患莫大于有坚久之费，贻屡变之劳，是之谓工无用、害有益。天下之愚，亦莫大于狃朝夕之近，忘久远之安，是之谓欲速成、见小利。是故朴素浑坚，圣人制物利用之道也。彼好文者，惟朴素之耻而靡丽夫易败之物，不智甚矣。或曰：“靡丽其浑坚者可乎？”曰：“既浑坚矣，靡丽奚为？苟以靡丽之费而为浑坚之资，岂不尤浑坚哉？是故君子作有益，则轻千金；作无益，则惜一介。假令无一介之费，君子亦不作无益，何也？不敢以耳目之玩，启天下民穷财尽之祸也。”

遇事不妨详问、广问，但不可有偏主心。

轻言骤发，听言之大戒也。

君子处事，主之以镇静有主之心，运之以圆活不拘之用，养之以从容敦大之度，循之以推行有渐之序，待之以序尽必至之效，又未尝有心勤效远之悔。今人临事，才去安排，又不耐踌躕，草率含糊，与事拂乱，岂无幸成？竟不成个处事之道。

君子与人共事，当公人己而不私。苟事之成，不必功之出自我也；不幸而败，不必咎之归诸人也。

有当然，有自然，有偶然。君子尽其当然，听其自然，而不惑于偶然；小人泥于偶然，拂其自然，而弃其当然。噫！偶然不可得，并其当然者失之，可哀也。

不为外撼，不以物移，而后可以任天下之大事。彼悦之则悦，怒之则怒，浅衷狭量，粗心浮气，妇人孺子能笑之，而欲有所树立，难矣。何也？其所以待用者无具也。

“明白简易”，此四字可行之终身。役心机，扰事端，是自投剧网也。

水之流行也，碍于刚，则求通于柔；智者之于事也，碍于此，则求通于彼。执碍以求通，则愚之甚也，徒劳而事不济。

计天下大事，只在紧要处一着留心用力，别个都顾不得。譬之弈棋，只在输赢上留心，一马一卒之失浑不放在心下，若观者以此预计其高低，弈者以此预乱其心目，便不济事。况善筹者以与为取，以丧为得；善弈者饵之使吞，诱之使进，此岂寻常识见所能策哉？乃见其小失而遽沮挠之，摈斥之，英雄豪杰可为窃笑矣，可为恸惋矣。

夫势，智者之所藉以成功，愚者之所逆以取败者也。夫势之盛也，天地圣人不能裁；势之衰也，天地圣人不能振，亦因之而已。因之中寓处之权，此善用势者也，乃所以裁之振之也。

士君子抱经世之具，必先知五用。五用之道未得，而漫尝试之，此小丈夫技痒、童心之所为也，事必不济。是故贵择人。不择可与共事之人，则不既厥心，不堪其任。或以虚文相欺，或以意见相倾，譬以玉杯付小儿，而奔走于崎岖之峰也。是故贵达时。时者，成事之期也。机有可乘，会有可际，不先不后，则其道易行。不达于时。譬投种于坚冻之候也。是故贵审势。势者，成事之藉也。登高而招，顺风而呼，不劳不费，而其功易就。不审于势，譬行舟于平陆之地也。是故贵慎发。左盼右望，长虑却顾，实见得利矣，又思其害，实见得成矣，又虑其败，万无可虞则执极而不变。不慎所发，譬夜射仪的也。是故贵宜物。夫事有当蹈常袭故者，有当改弦易辙者，有当兴废举坠者，有当救偏补敝者，有以小弃大而卒以成其大者，有理屈于势而不害其为理者，有当三令五申者，有当不动声色者。不宜于物，譬苗莠兼存，而玉石俱焚也。嗟夫！非有其具之难，而用其具者之难也。

腐儒之迂说，曲士之拘谈，俗子之庸识，躁人之浅见，谲者之异言，险夫之邪语，皆事之贼也，谋断家之所忌也。

智者之于事，有言之而不行者，有所言非所行者，有先言而后行者，有先行而后言者，有行之既成而始终不言其故者。要亦为国家深远之虑，而求以必济而已。

善用力者就力，善用势者就势，善用智者就智，善用财者就财，夫是之谓乘。乘者，知几之谓也。失其所乘，则倍劳而功不就；得其所乘，则与物无忤，于我无困，而天下享其利。

凡酌量天下大事，全要个融通周密，忧深虑远。营室者之正方面也，远视近视，曰有近视正而远视不正者；较长较短，曰有准于短而不准于长者；应上应下，曰有合于上而不合于下者；顾左顾右，曰有协于左而不协于右者。既而远近长短上下左右之皆宜也，然后执绳墨、运木石、鸠器用，以定万世不拔之基。今之处天下事者，粗心浮气，浅见薄识，得其一方而固执以求胜。以此图久大之业，为治安之计，难矣。

字经三书，未可遽真也；言传三口，未可遽信也。

巧者，气化之贼也，万物之祸也，心术之蠹也，财用之灾也，君子不贵焉。

君子之处事有真见矣，不遽行也，又验众见，察众情，协诸理而协，协诸众情、众见而协，则断以必行；果理当然，而众情、众见之不协也，又委曲以行吾理。既不贬理，又不骇人，此之谓理术。噫！惟圣人者能之，猎较之类是也。

干天下大事非气不济。然气欲藏，不欲露；欲抑，不欲扬。掀天揭地事业不动声色，不惊耳目，做得停停妥妥，此为第一妙手，便是入神。譬之天地当春夏之时，发育万物，何等盛大流行之气！然视之不见，听之不闻，岂无风雨雷霆，亦只时发间出，不显匠作万物之迹，这才是化工。

疏于料事而拙于谋身，明哲者之所惧也。

实处着脚，稳处下手。

姑息依恋，是处人大病痛，当义处，虽处骨肉亦要果断；卤莽径直，是处事大病痛，当紧要处，虽细微亦要检点。

正直之人能任天下之事。其才、其守，小事自可见。若说小事且放过，大事到手才见担当，这便是饰说，到大事定然也放过了。松柏生，小便直，未有始曲而终直者也。若用权变时另有较量，又是一副当说话。

无损损，无益益，无通通，无塞塞，此调天地之道，理人物之宜也。然人君自奉无嫌于损损，于百姓无嫌于益益；君子扩理路无嫌于通通，杜欲窦无嫌于塞塞。

事物之理有定，而人情意见千岐万径，吾得其定者而行之，即行迹可疑，心事难白，亦付之无可奈何。若惴惴畏讥，琐琐自明，岂能家置一喙哉？且人不我信，辩之何益？人若我信，何事于辩？若事有关涉，则不当以缄默妨大计。

处人、处己、处事都要有馀，无馀便无救性，此里甚难言。

悔前莫如慎始，悔后莫如改图，徒悔无益也。

居乡而囿于数十里之见，硁硁然守之也，百攻不破，及游大都，见千里之事，茫然自失矣。居今而囿于千万人之见，硁硁然守之也，百攻不破，及观坟、典，见千万年之事，茫然自失矣。是故囿见不可狃，狃则狭，狭则不足以善天下之事。

事出于意外，虽智者亦穷，不可以苛责也。

天下之祸多隐成而卒至，或偶激而遂成。隐成者贵预防，偶激者贵坚忍。

当事有四要：际畔要果决，怕是绵；执持要坚耐，怕是脆；机括要深沉，怕是浅；应变要机警，怕是迟。

君子动大事，十利而无一害，其举之也，必矣。然天下无十利之事，不得已而权其分数之多寡，利七而害三，则吾全其利而防其害。又较其事势之轻重，亦有九害而一利者为之，所利重而所害轻也，所利急而所害缓也，所利难得而所害可救也，所利久远而所害一时也。此不可与浅见薄识者道。

当需莫厌久，久时与得时相邻。若愤其久也而决绝之，是不能忍于斯须，而甘弃前劳，坐失后得也。此从事者之大戒也。若看得事体审，便不必需，即需之久，亦当速去。

朝三暮四，用术者诚诈矣。人情之极致，有以朝三暮四为便者，有以朝四暮三为便者，要在当其所急。猿非愚，其中必有所当也。

天下之祸非偶然而成也，有辏合，有搏激，有积渐。辏合者，杂而不可解；在天为风雨雷电，在身为多过，在人为朋奸，在事为众恶遭会，在病为风寒暑湿，合而成痹。搏激者，勇而不可御，在天为迅雷大雹，在身为忿狠，在人为横逆卒加，在事为骤感成凶，在病为中寒暴厥。积渐者，极重而不可反，在天为寒暑之序，在身为罪恶贯盈，在人为包藏待逞，在事为大敝极坏，在病为血气衰羸、痰火蕴郁，奄奄不可支。此三成者，理势之自然，天地万物皆不能外，祸福之来，恒必由之。故君子为善，则藉众美而防错履之多，奋志节而戒一朝之怒，体道以终身，孜孜不倦，而绝不可长之欲。

再之略，不如一之详也；一之详，不如再之详也，再详无后忧矣。

有馀，当事之妙道也。故万无可虑之事备十一，难事备百一，大事备千一，不测之事备万一。

在我有馀，则足以当天下之感，以不足当感，未有不困者。识有馀，理感而即透；才有馀，事感而即办；力有馀，任感而即胜；气有馀，变感而不震；身有馀，内外感而不病。

语之不从，争之愈勍，名之乃惊。不语不争，无所事名，忽忽冥冥，吾事已成，彼亦懵懵。昔人谓不动声色而措天下于泰山，予以为动声色则不能措天下于泰山矣。故曰："默而成之，不言而信，存乎德行。"

天下之事，在意外者常多。众人见得眼前无事都放下心，明哲之士只在意外做工夫，故每万全而无后忧。

不以外至者为荣辱，极有受用处，然须是里面分数足始得。今人见人敬慢，辄有喜愠，心皆外重者也。此迷不破，胸中冰炭一生。

有一介必吝者，有千金可轻者，而世之论取与，动曰所直几何？此乱语耳。

才犹兵也，用之伐罪吊民，则为仁义之师；用之暴寡凌弱，则为劫夺之盗。是故君子非无才之患，患不善用才耳。故惟有德者能用才。

藏莫大之害，而以小利中其意；藏莫大之利，而以小害疑其心。此愚者之所必堕，而智者之所独觉也。

今人见前辈先达作事不自振拔，辄生叹恨，不知渠当我时也曾叹恨人否？我当渠时能免后人叹恨否？事不到手，责人尽易，待君到手时，事事努力，不轻放过便好。只任哓哓责人，他日纵无可叹恨，今日亦浮薄子也。

区区与人较是非，其量与所较之人相去几何？

无识见底人，难与说话；偏识见底人，更难与说话。

两君子无争，相让故也；一君子一小人无争，有容故也；争者，两小人也。有识者奈何自处于小人？即得之未必荣，而况无益于得以博小人之名，又小人而愚者。

方严是处人大病痛。圣贤处世离一温厚不得，故曰泛爱众，曰和而不同，曰和而不流，曰群而不党，曰周而不比，曰爱人，曰慈祥，曰岂弟，曰乐只，曰亲民，曰容众，曰万物一体，曰天下一家，中国一人。只恁踽踽凉凉冷落难亲，便是世上一个碍物。即使持正守方，独立不苟，亦非用世之才，只是一节狷介之士耳。

谋天下后世事，最不可草草，当深思远虑。众人之识，天下所同也，浅昧而狃于目前。其次有众人看得一半者，其次豪杰之士与练达之人得其大概者，其次精识之人有旷世独得之见者，其次经纶措置当时不动声色，后世不能变易者，至此则精矣，尽矣，无以复加矣，此之谓大智，此之谓真才。若偶得之见，借听之言，翘能自喜而攘臂直言天下事，此老成者之所哀，而深沉者之所惧也。

而今只一个“苟”字支吾世界，万事安得不废弛？

天下事要乘势待时，譬之决痈，待其将溃，则病者不苦而痈自愈。若虺蝮毒人，虽即砭手断臂，犹迟也。

饭休不嚼就咽，路休不看就走，人休不择就交，话休不想就说，事休不思就做。

参苓归芪，本益人也，而与身无当，反以益病；亲厚恳切，本爱人也，而与人无当，反以速祸。故君子慎焉。

两相磨荡，有皆损无俱全，特大小久近耳。利刃终日断割，必有缺折之时；砥石终日磨砻，亦有亏消之渐。故君子不欲敌人以自全也。

见前面之千里，不若见背后之一寸。故达观非难，而反观为难；见见非难，而见不见为难。此举世之所迷，而智者之独觉也。

誉既汝归，毁将安辞？利既汝归，害将安辞？巧既汝归，罪将安辞？

上士会意，故体人也以意，观人也亦以意。意之感人也深于骨肉，意之杀人也毒于斧钺。鸥鸟知渔父之机，会意也，可以人而不如鸥乎？至于征色发声而不观察，则又在色斯举矣之下。

士君子要任天下国家事，先把本身除外。所以说策名委质，言自策名之后身已非我有矣，况富贵乎？若营营于富贵身家，却是社稷苍生委质于我也，君之贼臣乎？天之僇民乎？

圣贤之量空阔，事到胸中如一叶之泛沧海。

圣贤处天下事，委曲纡徐，不轻徇一己之情，以违天下之欲，以破天下之防。是故道有不当直，事有不必果者，此类是也。譬之行道然，循曲从远，顺其成迹，而不敢以欲速适己之便者，势不可也。若必欲简捷直遂，则两京程途正以绳墨，破城除邑，塞河夷山，终有数百里之近矣，而人情事势不可也。是以处事要逊以出之，而学者接物怕径情直行。

热闹中空老了多少豪杰，闲淡滋味惟圣贤尝得出，及当热闹时也只以这闲淡心应之。天下万事万物之理都是闲淡中求来，热闹处使用。是故静者动之母。

胸中无一毫欠缺，身上无一些点染，便是羲皇以上人，即在夷狄患难中，何异玉烛春台上？

圣人掀天揭地事业只管做，只是不费力；除害去恶只管做，只是不动气；蹈险投艰只管做，只是不动心。

圣贤用刚，只够济那一件事便了；用明，只够得那件情便了，分外不剩分毫。所以作事无痕迹，甚浑厚，事既有成而亦无议。

圣人只有一种才，千通万贯，随事合宜，譬如富贵只积一种钱，贸易百货都得。众人之材如货，轻縠虽美，不可御寒；轻裘虽温，不可当暑。又养才要有根本，则随遇不穷；运才要有机括，故随感不滞；持才要有涵蓄，故随事不败。

坐疑似之迹者，百口不能自辨；狃一见之真者，百口难夺其执。此世之通患也。唯圣虚明通变，吻合人情，如人之肝肺在其腹中，既无遁情，亦无诬执。故人有感泣者，有愧服者，有欢悦者。故曰："惟圣人为能通天下之志。"不能如圣人，先要个虚心。

圣人处小人不露行迹，中间自有得已处。高崖陡堑，直气壮頄[1]，皆偏也。即不论取祸，近小丈夫矣。孟子见乐正子从王驩，何等深恶！及处王驩，与行而不与比，虽然，犹形迹矣。孔子处阳货只是个绐法，处向魋只是个躲法。

【注释】

①頄（kuí）：颧骨。

君子所得不同，故其所行亦异。有小人于此，仁者怜之，义者恶之，礼者处之不失体，智者处之不取祸，信者推诚以御之而不计利害，惟圣人处小人得当可之宜。

被发于乡邻之斗，岂是恶念头？但类于从井救人矣。圣贤不为善于性分之外。

仕途上只应酬，无益人事，工夫占了八分，更有甚精力时候修正经职业？我尝自喜行三种方便，甚于彼我有益：不面谒人，省其疲于应接；不轻寄书，省其困于裁答；不乞求人看顾，省其难于区处。

士君子终身应酬不止一事，全要将一个静定心，酌量缓急轻重为后先。若应轇轕[1]情处纷杂事，都是一味热忙，颠倒乱应，只此便不见存心定性之功，当事处物之法。

【注释】

①轇轕（jiāo gé）：交错纠缠貌。

儒者先要个不俗，才不俗又怕乖俗。圣人只是和人一般，中间自有妙处。

处天下事，先把“我”字阁起；千军万马中，先把“人”字阁起。

处毁誉，要有识有量。今之学者，尽有向上底，见世所誉而趋之，见世所毁而避之，只是识不定；闻誉我而喜，闻毁我而怒，只是量不广。真善恶在我，毁誉于我无分毫相干。

某平生只欲开口见心，不解作吞吐语。或曰：“恐非‘其难其慎’之义。”予矍然惊谢曰：“公言甚是。但其难其慎在未言之前，心中择个是字才脱口，更不复疑，何吞吐之有？吞吐者，半明半暗，似于‘开诚心’三字碍。”

接人要和中有介，处事要精中有果，认理要正中有通。

天下之事常鼓舞不见疲劳，一衰歇便难振举。是以君子提醒精神，不令昏眊；役使筋骨，不令怠惰，惧振举之难也。

实言、实行、实心，无不孚人之理。

当大事，要心神定，心气足。

世间无一处无拂意事，无一日无拂意事，惟度量宽弘有受用处，彼局量褊浅者空自懊恨耳。

听言之道，徐审为先，执不信之心与执必信之心，其失一也。惟圣人能先觉，其次莫如徐审。

君子之处事也，要我就事，不令事就我；其长民也，要我就民，不令民就我。

上智不悔，详于事先也；下愚不悔，迷于事后也。惟君子多悔。虽然，悔人事不悔天命，悔我不悔人。我无可悔，则天也、人也，听之矣。

某应酬时，有一大病痛，每于事前疏忽，事后点检，点检后辄悔吝；闲时慵懒，忙时迫急，迫急后辄差错。或曰："此失先后着耳。"肯把点检心放在事前，省得点检，又省得悔吝。肯把急迫心放在闲时，省得差错，又省得牵挂。大率我辈不是事累心，乃是心累心。一谨之不能，而谨无益之谨；一勤之不能，而勤无及之勤。于此心倍苦，而于事反不详焉，昏懦甚矣！书此以自让。

无谓人唯唯，遂以为是我也；无谓人默默，遂以为服我也；无谓人煦煦，遂以为爱我也；无谓人卑卑，遂以为恭我也。

事到手且莫急，便要缓缓想；想得时切莫缓，便要急急行。

我不能宁耐事，而令事如吾意，不则躁烦；我不能涵容人，而令人如吾意，不则谴怒。如是则终日无自在时矣，而事卒以偾，人卒以怨，我卒以损，此谓至愚。

有由衷之言，有由口之言；有根心之色，有浮面之色。各不同也，应之者贵审。

富贵，家之灾也；才能，身之殃也；声名，谤之媒也；欢乐，悲之藉也。故惟处顺境为难。只是常有惧心，迟一步做，则免于祸。

语云：一错二误，最好理会。凡一错者必二误，盖错必悔怍，悔怍则心凝于所悔，不暇他思，又错一事。是以无心成一错，有心成二误也。礼节应对间最多此失。苟有错处，更宜镇定，不可忙乱，一忙乱则相因而错者无穷矣。

冲繁地，顽钝人，纷杂事，迟滞期，拂逆时，此中最好养火。若决裂愤激，悔不可言；耐得过时，有无限受用。

当繁迫事，使聋瞽人；值追逐时，骑瘦病马；对昏残烛，理烂乱丝，而能意念不躁，声色不动，亦不后事者，其才器吾诚服之矣。

义所当为，力所能为，心欲有为，而亲友挽得回，妻孥劝得止，只是无志。

妙处先定不得，口传不得，临事临时，相几度势，或只须色意，或只须片言，或用疾雷，或用积阴，务在当可，不必彼觉，不必人惊，却要善持善发，一错便是死生关。

意主于爱，则诟骂扑击，皆所以亲之也；意主于恶，则奖誉绸缪，皆所以仇之也。

养定者，上交则恭而不迫，下交则泰而不忽，处亲则爱而不狎，处疏则真而不厌。

有进用，有退用，有虚用，有实用，有缓用，有骤用，有默用，有不用之用，此八用者，宰事之权也。而要之归于济义，不义，虽济，君子不贵也。

责人要含蓄，忌太尽；要委婉，忌太直；要疑似，忌太真。今子弟受父兄之责也，尚有所不堪，而况他人乎？孔子曰："忠告而善道之，不可则止。"此语不止全交，亦可养气。

祸莫大于不仇人而有仇人之辞色，耻莫大于不恩人而诈恩人之状态。

柔胜刚，讷止辩，让愧争，谦伏傲。是故退者得常倍，进者失常倍。

余少时曾泄当密之语，先君责之，对曰："已戒闻者，使勿泄矣。"先君曰："子不能必子之口，而能必人之口乎？且戒人与戒己孰难？小子慎之。”

中孚，妙之至也。格天动物不在形迹言语。事为之末，苟无诚以孚之，诸皆糟粕耳，徒勤无益于义。鸟抱卵曰孚，从爪从子，血气潜入，而子随母化，岂在声色？岂事造作？学者悟此，自不怨天尤人。

应万变，索万理，惟沉静者得之。是故水止则能照，衡定则能称。世亦有昏昏应酬而亦济事，梦梦谈道而亦有发明者，非资质高，则偶然合也，所不合者何限？

祸莫大于不体人之私而又苦之，仇莫深于不讳人之短而又讦之。

肯替别人想，是第一等学问。

不怕千日密，只愁一事疏。诚了再无疏处，小人掩着，徒劳尔心矣。譬之于物，一毫欠缺，久则自有欠缺承当时；譬之于身，一毫虚弱，久则自有虚弱承当时。

置其身于是非之外，而后可以折是非之中；置其身于利害之外，而后可以观利害之变。

余观察晋中，每升堂，首领官凡四人，先揖堂官，次分班对揖，将退，则余揖手，四人又一躬而行。一日，三人者以公出，一人在堂，偶忘对班之无人，又忽揖下，起，愧不可言，群吏忍口而笑。余揖手谓之曰：“有事不妨先退。”揖者退，其色顿平。昔余令大同日，县丞到任，余让笔揖手，丞他顾而失瞻，余面责簿吏曰：“奈何不以礼告新官？”丞愧谢，终公宴不解容，余甚悔之。偶此举能掩人过，可补前失矣。因识之以充忠厚之端云。

善用人底，是个人都用得；不善用人底，是个人用不得。

以多恶弃人，而以小失发端，是藉弃者以口实，而自取不韪之讥也。曾有一隶，怒挞人，余杖而恕之；又窃同舍钱，又杖而恕之，且戒之曰："汝慎，三犯不汝容矣。"一日在燕，醉而寝，余既行矣，而呼之不至，既至，托疾，实醉也。余逐之出。语人曰："余病不能从，遂逐我。"人曰："某公有德器，乃以疾逐人耶？"不知余恶之也以积愆，而逐之也以小失，则余之拙也。虽然，彼藉口以自白，可为他日更主之先容，余拙何悔？

手段不可太阔，太阔则填塞难完；头绪不可太繁，太繁则照管不到。

得了真是非，才论公是非。而今是非不但捉风捕影，且无风无影，不知何处生来，妄听者遽信是实以定是非。曰："我无私也。"噫！固无私矣，采苓止棘，暴公巷伯，孰为辩之？

固可使之愧也，乃使之怨；固可使之悔也，乃使之怒；固可使之感也，乃使之恨，晓人当如是耶？

不要使人有过。

谦忍皆居尊之道，俭朴皆居富之道。故曰：卑不学恭，贫不学俭。

豪雄之气虽正多粗，只用他一分，便足济事，那九分都多了，反以偾事矣。

君子不受人不得已之情，不苦人不敢不从之事。

教人十六字：诱掖，奖劝，提撕，警觉，涵育，薰陶，鼓舞，兴作。

水激逆流，火激横发，人激乱作，君子慎其所以激者。愧之，则小人可使为君子；激之，则君子可使为小人。

事前忍易，正事忍难；正事悔易，事后悔难。

说尽有千说，是却无两是。故谈道者必要诸一是而后精，谋事者必定于一是而后济。

世间事各有恰好处，慎一分者得一分，忽一分者失一分，全慎全得，全忽全失。小事多忽，忽小则失大；易事多忽，忽易则失难。存心君子自得之体验中耳。

到一处问一处风俗，果不大害，相与循之，无与相忤。果于义有妨，或不言而默默转移，或婉言而徐徐感动，彼将不觉而同归于我矣。若疾言厉色，是己非人，是激也，自家取祸不惜，可惜好事做不成。

事有可以义起者，不必泥守旧例；有可以独断者，不必观望众人。若旧例当，众人是，莫非胸中道理而彼先得之者也，方喜旧例免吾劳，方喜众见印吾是，何可别生意见以作聪明哉？此继人之后者之所当知也。

善用明者，用之于暗；善用密者，用之于疏。

你说底是我便从，我不是从你，我自从是，仍私之有？你说底不是我便不从，不是不从你，我自不从不是，何嫌之有？

日用酬酢，事事物物要合天理人情。所谓合者，如物之有底盖，然方者不与圆者合，大者不与小者合，欹者不与正者合。覆诸其上而不广不狭，旁视其隙而若有若无。一物有一物之合，不相苦窳①；万物各有其合，不相假借。此之谓天则，此之谓大中，此之谓天下万事万物各得其所，而圣人之所以从容中，贤者之所以精一求，众人之所以醉心梦意、错行乱施者也。

【注释】

①苦窳（yǔ）：粗糙劣质。

事有不当为而为者，固不是；有不当悔而悔者，亦不是。圣贤终始无二心，只是见得定了。做时原不错，做后如何悔？即有凶咎，亦是做时便大拚如此。

心实不然，而迹实然。人执其然之迹，我辨其不然之心，虽百口，不相信也。故君子不示人以可疑之迹，不自诬其难辨之心。何者？正大之心，孚人有素，光明之行，无所掩覆也。倘有疑我者，任之而已，哓哓何为？

大丈夫看得生死最轻，所以不肯死者，将以求死所也。死得其所，则为善用死矣。成仁取义，死之所也，虽死贤于生也。

将祭而齐[1]，其思虑之不齐者，不惟恶念，就是善念也是不该动的。这三日里，时时刻刻只在那所祭者身上，更无别个想头，故曰精白一心。才一毫杂，便不是精白；才二，便不是一心。故君子平日无邪梦，齐日无杂梦。

【注释】

①齐：通“斋”，斋戒。

彰死友之过，此是第一不仁。生而告之也，望其能改，彼及闻之也，尚能自白，死而彰之，夫何为者？虽实过也，吾为掩之。

争利起于人各有欲，争言起于人各有见。惟君子以淡泊自处，以知能让人，胸中有无限快活处。

吃这一箸饭，是何人种获底？穿这一匹帛，是何人织染底？大厦高堂，如何该我住居？安车驷马，如何该我乘坐？获饱暖之休，思作者之劳；享尊荣之乐，思供者之苦，此士大夫日夜不可忘情者也。不然，其负斯世斯民多矣。

只大公了，便是包涵天下气象。

“定、静、安、虑、得”，此五字时时有，事事有，离了此五字便是孟浪做。

公人易，公己难；公己易，公己于人难；公己于人易，忘人己之界而不知我之为谁难。公人处人，能公者也；公己处己，亦公者也。至于公己于人，则不以我为嫌，时当贵我富我。泰然处之而不嫌于尊己；事当逸我利我，公然行之而不嫌于厉民。非富贵我，逸利我也。我者，天下之我也。天下名分纪纲于我乎寄，则我者，名分纪纲之具也。何嫌之有？此之谓公己于人，虽然，犹未能忘，其道未化也。圣人处富贵逸利之地，而忘其身；为天下劳苦卑困，而亦忘其身。非曰我分当然也，非曰我志欲然也。譬痛者之必呻吟，乐者之必谈笑，痒者之必爬搔，自然而已。譬蝉之鸣秋，鸡之啼晓，草木之荣枯，自然而已。夫如是，虽负之使灰其心，怒之使薄其意，不能也。况此分不尽，而此心少怠乎？况人情未孚，而惟人是责乎？夫是之谓忘人己之界，而不知我之为谁。不知我之为谁，则亦不知人之为谁矣。不知人我之为谁，则六合混一，而太和元气塞于天地之间矣。必如是而后谓之仁。

才下手便想到究竟处。

理、势、数皆有自然。圣人不与自然斗，先之不敢干之，从之不敢迎之，待之不敢奈之，养之不敢强之。功在凝精，不撄其锋，妙在默成，不揭其名。夫是以理、势、数皆为我用，而相忘于不争。噫！非善济天下之事者，不足以语此。

心一气纯，可以格天动物，天下无不成之务矣。

握其机使自息，开其窍使自噭，发其萌使自峥，提其纲使自张，此老氏之术乎？曰：非也。二帝三王御世之大法不过是也。解其所不得不动，投其所不得不好，示其所不得不避。天下固有拼死而惟吾意指者，操之有要而掂掇[①]其心故也。化工无他术，亦只是如此。

【注释】

①掂掇：揣度，估量。

对忧人勿乐，对哭人勿笑，对失意人勿矜。

过责望人，亡身之念也。君子相与，要两有退心，不可两有进心。自反者，退心也。故刚两进则碎，柔两进则屈，万福皆生于退反。

施者不知，受者不知，诚动于天之南，而心通于海之北，是谓神应；我意才萌，彼意即觉，不俟出言，可以默会，是谓念应；我以目授之，彼以目受之，人皆不知，两人独觉，是谓不言之应；我固强之，彼固拂之，阳异而阴同，是谓不应之应。明乎此者，可以谈兵矣。

卑幼有过，慎其所以责让之者：对众不责，愧悔不责，暮夜不则，正饮食不责，正欢庆不责，正悲忧不责，疾病不责。

举世之议论有五：求之天理而顺，即之人情而安，可揆圣贤，可质神明，而不必于天下所同，曰公论。情有所便，意有所拂，逞辩博以济其一偏之说，曰私论。心无私曲，气甚豪雄，不察事之虚实、势之难易、理之可否，执一隅之见，狃时俗之习，既不正大，又不精明，蝇哄蛙嗷，通国成一家之说，而不可与圣贤平正通达之识，曰妄论。造伪投奸，谂訾诡秘，为不根之言，播众人之耳，千口成公，久传成实，卒使夷由为跻跖，曰诬论。称人之善，胸无秤尺，惑于小廉曲谨，感其煦意象恭[①]，喜一激之义气，悦一霎之道言，不观大节，不较生平，不举全体，不要永终，而遽许之，曰无识之论。呜呼！议论之难也久矣，听之者可弗察与？

【注释】

①象恭：看似恭敬。

简静沉默之人，发用出来不可当。故停蓄之水一决不可御也，蛰处之物其毒不可当也，潜伏之兽一猛不可禁也。轻泄骤举，暴雨疾风耳，智者不惧焉。

平居无事之时，则丈夫不可绳以妇人之守也；及其临难守死，则当与贞女烈妇比节。接人处众之际，则君子未尝示人以廉隅之迹也；及其任道徙义，则当与壮士健卒争勇。

祸之成也必有渐，其激也奋于积。智者于其渐也绝之，于其积也消之，甚则决之。决之必须妙手，譬之疡然，郁而内溃，不如外决；成而后决，不如早散。

涵养不定的，恶言到耳先思驭气，气平再没错的。一不平，饶你做得是，也带着五分过失在。

疾言遽色、厉声怒气，原无用处。万事万物只以心平气和处之，自有妙应。余褊，每坐此失，书以自警。

尝见一论人者云："渠只把天下事认真做，安得不败？"余闻之甚惊讶，窃意天下事尽认真做去，还做得不像，若只在假借面目上做工夫，成甚道理？天下事只认真做了。更有甚说？何事不成？方今大病痛，正患在不肯认真做，所以大纲常、正道理无人扶持，大可伤心。嗟夫！武子之愚，所谓认真也与？

人人因循昏忽，在醉梦中过了一生，坏废了天下多少事！惟忧勤惕励之君子，常自惺惺爽觉。

明义理易，识时势难；明义理腐儒可能，识时势非通儒不能也。识时易，识势难；识时见者可能，识势非蚤见者不能也。识势而蚤图之，自不至于极重，何时之足忧？

只有无迹而生疑，再无有意而能掩者，可不畏哉？

令人可畏，未有不恶之者，恶生毁；令人可亲，未有不爱之者，爱生誉。

先事体怠神昏，事到手忙脚乱，事过心安意散，此事之贼也。兵家尤不利此。

善用力者，举百钧若一羽，善用众者，操万旅若一人。

没这点真情，可惜了繁文侈费；有这点真情，何嫌于二簋一掬①？

【注释】

①二簋（guǐ）一掬：饮食不丰盛。

百代而下，百里而外，论人只是个耳边纸上，并迹而诬之，那能论心？呜呼！文士尚可轻论人乎哉？此天谴鬼责所系，慎之！

或问："怨尤之念，底是难克，奈何？"曰："君自来怨尤，怨尤出甚的？天之水旱为虐不怕人怨，死自死耳，水旱自若也；人之贪残无厌不伯你尤，恨自恨耳，贪残自若也。此皆无可奈何者。今且不望君自修自责，只将这无可奈何事恼乱心肠，又添了许多痛苦，不若淡然安之，讨些便宜。"其人大笑而去。

见事易，任事难。当局者只怕不能实见得，果实见得，则死生以之，荣辱以之，更管甚一家非之，一国非之，天下非之。

人事者，事由人生也。清心省事，岂不在人？

闭户于乡邻之斗，虽有解纷之智，息争之力，不为也，虽忍而不得谓之杨朱。忘家于怀襄之时，虽有室家之忧，骨肉之难，不顾也，虽劳而不得谓之墨翟。

流俗污世中真难做人，又跳脱不出，只是清而不激就好。

恩莫到无以加处：情薄易厚，爱重成隙。

欲为便为，空言何益？不为便不为，空言何益？

以至公之耳听至私之口，舜、跖易名矣；以至公之心行至私人之闻，黜陟[①]易法矣。故兼听则不蔽，精察则不眩，事可从容，不必急遽也。

【注释】

①黜陟（chù zhì）：人才的贬斥和晋升。

同途而遇，男避女，骑避步，轻避重，易避难，卑幼避尊长。

势之所极，理之所截，圣人不得而毫发也。故保辜以时刻分死生，名次以相邻分得失。引绳之绝，堕瓦之碎，非必当断当敝之处，君子不必如此区区也。

礼无不报，不必开多事之端；怨无不酬，不可种难言之恨。

养生

夫水，遏之乃所以多之，泄之乃所以竭之。惟仁者能泄，惟智者知泄。

天地间之祸人者莫如多，令人易多者莫如美。美味令人多食，美色令人多欲，美声令人多听，美物令人多贪，美官令人多求，美室令人多居，美田令人多置，美寝令人多逸，美言令人多入，美事令人多恋，美景令人多留，美趣令人多思，皆祸媒也。不美则不令人多。不多则不令人败。予有一室，题之曰“远美轩”，而扁其中曰“冷淡”。非不爱美，惧祸之及也。 夫鱼见饵不见钩，虎见羊不见阱。猩猩见酒不见人，非不见也，迷于所美而不暇顾也。此心一冷，则热闹之景不能入；一淡，则艳冶之物不能动。夫能知困穷、抑郁、贫贱，坎坷之为祥，则可与言道矣。

以肥甘爱儿女而不思其伤身，以姑息爱儿女而不恤其败德，甚至病以死，患大辟而不知悔者，皆妇人之仁也。噫！举世之自爱而陷于自杀者，又十人而九矣。

五闭，养德养生之道也。或问之曰：“视、听、言、动、思将不启与？”曰：“常闭而时启之，不弛于事可矣。此之谓夷夏关。”

今之养生者，饵药、服气、避险、辞难、慎时、寡欲，诚要法也。嵇康善养生，而其死也却在所虑之外。乃知养德尤养生之第一要也。德在我，而蹈白刃以死，何害其为养生哉？

愚爱谈医，久则厌之，客言及者，告之曰：“以寡欲为四物，以食淡为二陈，以清心省事为四君子。无价之药，不名之医，取诸身而已。”

仁者寿，生理完也；默者寿，元气定也；拙者寿，元神固也。反此皆夭道也。其不然，非常理耳。

盗为男戎，色为女戎。人皆知盗之劫杀为可畏。而忘女戎之劫杀。悲夫！

太朴，天地之命脉也。太朴散而天地之寿夭可卜矣。故万物蕃，则造化之元精耗散。木多实者根伤，草出茎者根虚，费用广者家贫，言行多者神竭，皆夭道也。老子受用处，尽在此中看破。

饥寒痛痒，此我独觉，虽父母不之觉也；衰老病死，此我独当，虽妻子不能代也。自爱自全之道，不自留心，将谁赖哉？

气有为而无知，神有知而无为。精者，无知无为，而有知有为之母也。精，天一也，属水，水生气；气，纯阳也，属火，火生神；神，太虚也，属无，而丽于有。精盛则气盛，精衰则气衰，故甑涸而不蒸。气存则神存，气亡则神亡，故烛尽而火灭。

气只够喘息底，声只够听闻底，切莫长余分毫，以耗无声无臭之真体。

卷四　外篇·御集

天地

湿温生物，湿热长物，燥热成物，凄凉杀物，严寒养物。湿温，冲和之气也；湿热，蒸发之气也；燥热，燔灼之气也；凄凉，杀气，阴壮而阳微也；严寒，敛气，阴外激而阳内培也。五气惟严寒最仁。

浑厚，天之道也。是故处万物而忘言，然不能无日月星辰以昭示之，是寓精明于浑厚之中。

精存则生神，精散则生形。太乙者，天地之神也；万物者，天地之形也。太乙不尽而天地存，万物不已而天地毁。人亦然。

天地只一个光明，故不言而人信。

天地不可知也，而吾知天地之所生，观其所生，而天地之性情形体俱见之矣。是故观子而知父母，观器而知模范。天地者，万物之父母而造物之模范也。

天地之气化生于不齐，而死于齐。故万物参差，万事杂揉，势固然耳，天地亦主张不得。

天地盈虚消息是一个套子，万物生长收藏是一副印板。

天积气所成，自吾身以上皆天也。日月星辰去地八万四千里，囿于积气中，无纤隔微碍，彻地光明者，天气清甚无分毫渣滓耳。故曰太清。不然，虽薄雾轻烟，一里外有不见之物矣。

地道，好生之至也，凡物之有根种者，必与之生。尽物之分量，尽己之力量，不至寒凝枯败不止也。故曰坤，称母。

四时惟冬是天地之性，春夏秋皆天地之情。故其生万物也，动气多而静气少。

万物得天地之气以生，有宜温者，有宜微温者，有宜太温者，有宜温而风者，有宜温而湿者，有宜温而燥者，有宜温而时风时湿者。何气所生，则宜何气，得之则长养，失之则伤病。气有一毫之爽，万物阴受一毫之病。其宜凉、宜寒、宜暑，无不皆然。飞潜动植，蠛蠓之物，无不皆然。故天地位则万物育，王道平则万民遂。

六合中洪纤动植之物，都是天出气、地出质熔铸将出来，都要消磨无迹还他。故物不怕是金石，也要归于无。盖从无中生来，定要都归无去。譬之一盆水，打搅起来大小浮沤以千万计，原是假借成的，少安静时，还化为一盆水。

先天立命处，是万物自具的，天地只是个生息培养。只如草木原无个生理，天地好生，亦无如之何。

天地间万物，都是阴阳两个共成的。其独得于阴者，见阳必避，蜗牛壁藓之类是也；其独得于阳者，见阴必枯，夏枯草之类是也。

既有个阴气，必有聚结，故为月；既有个阳气，必有精华，故为日。晦是月之体，本是纯阴无光之物，其光也映日得之，客也，非主也。

天地原无昼夜，日出而成昼，日入而成夜。星常在天，日出而不显其光，日入乃显耳。古人云星从日生。细看来，星不借日之光以为光。嘉靖壬寅日食，既满天有星，当是时，日且无光，安能生星之光乎？

水静柔而动刚，金动柔而静刚，木生柔而死刚，火生刚而死柔。土有刚有柔，不刚不柔，故金、木、水、火皆从钟焉，得中故也，天地之全气也。

嘘气自内而之外也，吸气自外而之内也。天地之初嘘为春，嘘尽为夏，故万物随嘘而生长；天地之初吸为秋，吸尽为冬，故万物随吸而收藏。嘘者上升，阳气也，阳主发；吸者下降，阴气也，阴主成。嘘气温，故为春夏；吸气寒，故为秋冬。一嘘一吸，自开辟以来至混沌之后，只是这一丝气有毫发断处，万物灭，天地毁。万物，天地之子也，一气生死，无不肖之。

风惟知其吹拂而已，雨惟知其淋漓而已，霜雪惟知其严凝而已，水惟知其流行而已，火惟知其燔灼而已。不足则屏息而各藏其用，有馀则猖狂而各恣其性。卒然而感则强者胜，若两军交战，相下而后已。是故久阴则权在雨，而日月难为明；久旱则权在风，而云雨难为泽，以至水火霜雪莫不皆然。谁为之？曰：明阳为之。阴阳谁为之？曰：自然为之。

阴阳征应，自汉儒穿凿附会，以为某灾祥应某政事，最迂。大抵和气致祥，戾气致妖，与作善降祥，作恶降殃，道理原是如此。故圣人只说人事，只尽道理，应不应，在我不在我都不管。若求一一征应，如鼓答桴，尧、舜其犹病矣。大段气数有一定的，有偶然的，天地不能违，天地亦顺之而已。旱而雩，水而崇，彗孛而禳[①]，火而祓，日月食而救，君子畏天威，谨天戒当如是尔。若云随祷辄应，则日月盈亏岂系于救不救之间哉？大抵阴阳之气一偏必极，势极必反。阴阳乖戾而分，故孤阳亢而不下阴则旱无其极，阳极必生阴，故久而雨；阴阳和合而留，故淫阴升而不舍阳则雨无其极，阴极必生阳，故久而晴。草木一衰不至遽茂，一茂不至遽衰；夫妇朋友失好不能遽合，合不至遽乖。天道物理人情自然如此，是一定的。星陨地震，山崩雨血，火见河清，此是偶然的。吉凶先见，自非常理，故臣子以修德望君，不必以灾异恐之。若因灾而惧，固可修德。一有祥瑞使可谓德已足而罢修乎？乃若至德回天，灾祥立应，桑谷枯，彗星退，冤狱释而骤雨，忠心白而反风，亦间有之。但曰必然事，吾不能确确然信也。

【注释】

①彗孛：即彗星。禳：祈祷消灾。

气化无一息之停，不属进，就属退。动植之物，其气机亦无一息之停，不属生，就属死，再无不进不退而止之理。

形生于气。气化没有底，天地定然没有；天地没有底，万物定然没有。

生气醇浓浑浊，杀气清爽澄澈；生气牵恋优柔，杀气果决脆断；生气宽平温厚，杀气峻隘凉薄。故春气絪缊，万物以生；夏气薰蒸，万物以长；秋气严肃，万物以入；冬气闭藏，万物以亡。

一呼一吸，不得分毫有馀，不得分毫不足，不得连呼，不得连吸，不得一呼无吸，不得一吸无呼，此盈虚之自然也。

水，质也，以万物为用；火，气也，以万物为体。及其化也，同归于无迹。水性徐，火性疾，故水之入物也，因火而疾。水有定气，火无定气，故火附刚则刚，附柔则柔，水则入柔不入刚也。

阳不能藏，阴不能显。才有藏处，便是阳中之阴；才有显处，便是阴中之阳。

水能实虚，火能虚实。

乾坤是毁的，故开辟后必有混沌所以主宰；乾坤是不毁的，故混沌还成开辟。主宰者何？元气是已。元气亘万亿岁年终不磨灭，是形化气化之祖也。

天地全不张主，任阴阳；阴阳全不摆布，任自然。世之人趋避祈禳，徒自苦耳。其夺自然者，惟至诚。

天地发万物之气，到无外处止；收敛之气，到无内处止。不至而止者，非本气不足，则客气相夺也。

静生动长，动消静息。息则生，生则长，长则消，消则息。

万物生于阴阳，死于阴阳。阴阳于万物原不相干，任其自然而已。雨非欲润物，旱非欲熯[①]物，风非欲挠物，雷非欲震物，阴阳任其气之自然，而万物因之以生死耳。《易》称“鼓之以雷霆，润之以风雨”，另是一种道理，不然，是天地有心而成化也。若有心成化，则寒暑灾祥得其正，乃见天心矣。

【注释】

①熯（hàn）：烘干。

春夏后，看万物繁华，造化有多少淫巧，多少发挥，多少张大，元气安得不斫丧？机缄[1]安得不穷尽？此所以虚损之极，成否塞，成浑沌也。

【注释】

①机缄：气运。

形者，气之橐囊也。气者，形之线索也。无形，则气无所凭藉以生；无气，则形无所鼓舞以为生。形须臾不可无气，气无形则万古依然在宇宙间也。

要知道雷霆霜雪都是太和。

一阴一阳之谓道。二阴二阳之谓驳。阴多阳少、阳多阴少之谓偏。有阴无阳、有阳无阴之谓孤。一阴一阳，乾坤两卦，不二不杂，纯粹以精，此天地中和之气，天地至善也。是道也，上帝降衷，君子衷之。是故继之即善，成之为性，更无偏驳，不假修为，是一阴一阳属之君子之身矣。故曰君子之道，仁者见之谓之仁，智者见之谓之智，此之谓偏。“百姓日用而不知”，此之谓驳。至于孤气所生，大乖常理。孤阴之善，慈悲如母，恶则险毒如虺；孤阳之善，嫉恶如仇，恶则凶横如虎。此篇夫子论性纯以善者言之，与性相近，稍稍不同。

天地万物只是一个渐，故能成，故能久。所以成物悠者，渐之象也；久者，渐之积也。天地万物不能顿也，而况于人乎？故悟能顿，成不能顿。

盛德莫如地，万物于地，恶道无以加矣。听其所为而莫之憾也，负荷生成而莫之厌也。故君子卑法地，乐莫大焉。

日正午，月正圆，一呼吸间耳。呼吸之前，未午未圆；呼吸之后，午过圆过。善观中者，此亦足观矣。

中和之气，万物之所由以立命者也，故无所不宜；偏盛之气，万物之所由以盛衰者也，故有宜有不宜。

以理言之，则当然者谓之天，命有德讨有罪，奉三尺无私是已；以命言之，则自然者谓之天，莫之为而为，莫之致而至，定于有生之初是已；以数言之，则偶然者谓之天，会逢其适，偶值其际是已。

造物之气有十：有中气，有纯气，有杂气，有戾气，有似气，有大气，有细气，有间气，有变气，有常气，皆不外于五行。中气，五行均调，精粹之气也，人钟之而为尧、舜、禹、文、周、孔，物得之而为鳞凤之类是也。纯气，五行各具纯一之气也，人得之而为伯夷、伊尹、柳下惠，物得之而为龙虎之类是也。杂气，五行交乱之气也。戾气，五行粗恶之气也。似气，五行假借之气也。大气，磅礴浑沦之气也。细气，纤蒙浮渺之气也。间气，积久充溢会合之气也。变气，偶尔遭逢之气也。常气，流行一定之气也。万物各有所受以为生，万物各有所属以为类，万物不自由也。惟有学问之功，变九气以归中气。

火性发扬，水性流动，木性条畅，金性坚刚，土性重厚，其生物也亦然。

太和在我，则天地在我，何动不臧？何往不得？

弥六合皆动气之所为也，静气一粒伏在九地之下以胎之。故动者，静之死乡；静者，动之生门。无静不生，无动不死。静者常施，动者不还。发大造之生气者，动也；耗大造之生气者，亦动也。圣人主静以涵元理，道家主静以留元气。

万物发生，皆是流于既溢之余；万物收敛，皆是劳于既极之后。天地一岁一呼吸，而万物随之。

天地万物到头来皆归于母。故水、火、金、木有尽，而土不尽。何者？水、火、金、木，气尽于天，质尽于地，而土无可尽。故真气无归，真形无藏。万古不可磨灭，灭了更无开辟之时。所谓混沌者，真气与真形不分也。形气混而生天地，形气分而生万物。

天欲大小人之恶，必使其恶常得志。彼小人者，惟恐其恶之不遂也，故贪天祸以至于亡。

自然谓之天，当然谓之天，不得不然谓之天。阳亢必旱，久旱必阴，久阴必雨，久雨必晴，此之谓自然。君尊臣卑，父坐子立，夫唱妇随，兄友弟恭，此之谓当然。小役大，弱役强，贫役富，贱役贵，此之谓不得不然。

心就是天，欺心便是欺天，事心便是事天，更不须向苍苍上面讨。

天者，未定之命；命者，已定之天。天者，大家之命；命者，各物之天。命定而吉凶祸福随之也，由不得天，天亦再不照管。

天地万物只是一气聚散，更无别个。形者，气所附以为凝结；气者，形所托以为运动。无气则形不存，无形则气不住。

天地既生人物，则人物各具一天地。天地之天地由得天地，人物之天地由不得天地。人各任其气质之天地至于无涯，梏其降衷之天地几于澌尽，天地亦无如之何也已。其吉凶祸福率由自造，天何尤乎而怨之？

吾人浑是一天，故日用起居食息，念念时时事事便当以天自处。

朱子云："天者，理也。"余曰："理者，天也。"

有在天之天，有在人之天。有在天之先天，太极是已；有在天之后天，阴阳五行是已。有在人之先天，元气、无理是已；有在人之后天，血气、心知是已。

问："天地开辟之初，其状何似？"曰："未易形容。"因指斋前盆沼，令满贮带沙水一盆，投以瓦砾数小块，杂谷豆升许，令人搅水浑浊，曰："此是混沌未分之状。待三日后再来看开辟。"至日而浊者清矣，轻清上浮，曰此是天开于子。沉底浑泥，此是地辟于丑。中间瓦砾出露，此是山陵，是时谷豆芽生。月馀而水中小虫浮沉奔逐，此是人与万物生于寅。彻底是水，天包乎地之象也。地从上下，故山上锐而下广，象粮谷堆也。气化日繁华，日广侈，日消耗，万物毁而生机微，天地虽不毁，至亥而又成混沌之世矣。

雪非薰蒸之化也。天气上升，地气下降，是干涸世界矣。然阴阳之气不交则绝，故有留滞之馀阴，始生之嫩阳，往来交结，久久不散而迫于严寒，遂为雪为霰。白者，少明之色也，水之母也。盛则为雪，微则为霜，冬月片瓦半砖之下着湿地，皆有霜，阴气所呵也，土干则否。

世运

势之所在，天地圣人不能违也。势来时即摧之，未必遽坏；势去时即挽之，未必能回。然而圣人每与势忤，而不肯甘心从之者，人事宜然也。

世人贱老，而圣王尊之；世人弃愚，而君子取之；世人耻贫，而高士清之；世人厌淡，而智者味之；世人恶冷，而幽人宝之；世人薄素，而有道者尚之。悲夫！世之人难与言矣。

坏世教者，不是宦官宫妾，不是农工商贾，不是衙门市井，不是夷狄。

伏羲以前是一截世道，其治任之而已，己无所与也。五帝是一截世道，其治安之而已，不扰民也。三王是一截世道，其治正之而已，不使纵也。秦以后是一截世道，其治劫之而已，愚之而已，不以德也。

世界一般是唐虞时世界，黎民一般是唐虞时黎民，而治不古若，非气化之罪也。

三皇是道德世界，五帝是仁义世界，三王是礼义世界，春秋是威力世界，战国是智巧世界，汉以后是势利世界。

士鲜衣美食、浮淡怪说、玩日愒时，而以农工为村鄙；女傅粉簪花、冶容学态、袖手乐游，而以勤俭为羞辱；官盛从丰供、繁文缛节、奔逐世态，而以教养为迂腐。世道可为伤心矣。

喜杀人是泰，愁杀人也是泰。泰之人昏惰侈肆，泰之事废坠宽罢，泰之风纷华骄蹇，泰之前如上水之篙，泰之世如高竿之顶，泰之后如下坂之车。故否可以致泰，泰必至于否。故圣人忧泰不忧否。否易振，泰难持。

世之衰也，卑幼贱微气高志肆而无上，子弟不知有父母，妇不知有舅姑，后进不知有先达，士民不知有官师，郎署不知有公卿，偏裨军士不知有主帅。目空空而气勃勃，耻于分义而敢于陵驾。呜呼！世道至此，未有不乱不亡者也。

节文度数，圣人之所以防肆也。伪礼文不如真爱敬，真简率不如伪礼文。伪礼文犹足以成体，真简率每至于逾闲；伪礼文流而为象恭滔天①，真简率流而为礼法扫地。七贤八达，简率之极也。举世牛马而晋因以亡。近世士风崇尚简率，荡然无检，嗟嗟！吾莫知所终矣。

【注释】

①象恭滔天：表面恭顺而内心简慢。

天下之势，顿可为也，渐不可为也。顿之来也骤，骤多无根；渐之来也深，深则难撼。顿着力在终，渐着力在始。

造物有涯而人情无涯，以有涯足无涯，势必争，故人人知足则天下有馀。造物有定而人心无定，以无定撼有定，势必败。故人人安分则天下无事。

天地有真气，有似气。故有凤皇则有昭明，有粟谷则有稂莠，兔葵似葵，燕麦似麦，野菽似菽，槐蓝似槐之类。人亦然，皆似气之所钟也。

圣贤

孔子是五行造身，两仪成性。其余圣人，得金气多者则刚明果断，得木气多者则朴素质直，得火气多者则发扬奋迅，得水气多者则明彻圆融，得土气多者则镇静浑厚，得阳气多者则光明轩豁，得阴气多者则沉默精细。气质既有所限，虽造其极，终是一偏底圣人。此七子者，共事多不相合，共言多不相入，所同者大根本大节目耳。

孔、颜穷居，不害其为仁覆天下，何则？仁覆天下之具在我，而仁覆天下之心未尝一日忘也。

圣人不落气质，贤人不浑厚便直方，便着了气质色相；圣人不带风土，贤人生燕赵则慷慨，生吴越则宽柔，就染了风土气习。

性之圣人，只是个与理相忘，与道为体，不待思惟，横行直撞，恰与时中吻合。反之圣人常常小心，循规蹈矩，前望后顾，才执得中字，稍放松便有过不及之差。是以希圣君子心上无一时任情恣意处。

圣人一，圣人全，一则独诣其极，全则各臻其妙。惜哉！至人有圣人之功而无圣人之全者，囿于见也。

所贵乎刚者，贵其能胜己也，非以其能胜人也。子路不胜其好勇之私，是为勇字所伏，终不成个刚者。圣门称刚者谁？吾以为恂恂之颜子，其次鲁钝之曾子而已，馀无闻也。

天下古今一条大路，曰大中至正，是天造地设的。这个路上，古今不多几人走，曰尧、舜、禹、汤、文、武、周、孔、颜、曾、思、孟，其馀识得的，周、程、张、朱，虽走不到尽头，毕竟是这路上人。将这个路来比较古今人，虽伯夷、伊、惠，也是异端，更说那佛、老、杨、墨、阴阳术数诸家。若论个分晓，伯夷、伊、惠是旁行的，佛、老、杨、墨是斜行的，阴阳星数是歧行的。本原处都从正路起，却念头一差，走下路去，愈远愈缪。所以说异端，言本原不异而发端异也。何也？佛之虚无，是吾道中寂然不动差去；老之无为，是吾道中守约施博差去；为我，是吾道中正静自守差去；兼爱，是吾道中万物一体差去；阴阳家，是吾道中敬授人时差去；术数家，是吾道中至诚前知差去。看来大路上人时为佛，时为老，时为杨，时为墨，时为阴阳术数，是合数家之所长。岔路上人，佛是佛，老是老，杨是杨，墨是墨，阴阳术数是阴阳术数，殊失圣人之初意。譬之五味不适均不可以专用也，四时不错行不可以专今也。

圣人之道不奇，才奇便是贤者。

战国是个惨酷的气运，巧伪的世道。君非富强之术不讲，臣非功利之策不行。六合正气独钟在孟子身上，故在当时疾世太严，忧民甚切。

清、任、和、时，是孟子与四圣人议定的谥法。“祖述尧、舜，宪章文、武，上律天时，下袭水土”，是子思作仲尼的赞语。

圣贤养得天所赋之理完，仙家养得天所赋之气完。然出阳脱壳，仙家未尝不死，特留得此气常存。性尽道全，圣贤未尝不死，只是为此理常存。若修短存亡，则又系乎气质之厚薄，圣贤不计也。

贤人之言视圣人未免有病，此其大较耳。可怪俗儒见说是圣人语，便回护其短而推类以求通；见说是贤人之言，便洗索其疵而深文以求过。设有附会者从而欺之，则阳虎、优孟皆失其真，而不免徇名得象之讥矣。是故儒者要认理，理之所在，虽狂夫之言，不异于圣人。圣人岂无出于一时之感，而不可为当然不易之训者哉？

尧、舜功业如此之大，道德如此之全，孔子称赞不啻口出。在尧、舜心上有多少缺然不满足处！道原体不尽，心原趁不满，势分不可强，力量不可勉，圣人怎放得下？是以圣人身囿于势分、力量之中，心长于势分、力量之外，才觉足了，便不是尧、舜。

伊尹看天下人无一个不是可怜的，伯夷看天下人无一个不是可恶的，柳下惠看天下人无一个不是可与的。

浩然之气，孔子非无，但用的妙耳。孟子一生受用全是这两字。我尝云：“孟子是浩然之气，孔子是浑然之气。浑然是浩然的归宿，浩然是浑然的作用。惜也！孟子未能到浑然耳。”

圣学专责人事，专言实理。

二女试舜，所谓书不可尽信也。且莫说玄德升闻，四岳共荐。

以圣人遇圣人，一见而人品可定，一语而心理相符，又何须试？即帝艰知人，还须一试，假若舜不能谐二女，将若之何？是尧轻视骨肉，而以二女为市货也，有是哉？

自古功业，惟孔、孟最大且久。时雍风动，今日百姓也没受用处，赖孔、孟与之发挥，而尧、舜之业至今在。

尧、舜、周、孔之道，如九达之衢，无所不通；如代明之日月，无所不照。其馀有所明，必有所昏，夷、尹、柳下惠昏于清、任、和，佛氏昏于寂，老氏昏于啬，杨氏昏于义，墨氏昏于仁，管、商昏于法。其心有所向也，譬之鹘鸼知南；其心有所厌也，譬之盍旦恶夜。岂不纯然成一家人物？竟是偏气。

尧、舜、禹、文、周、孔，振古圣人，无一毫偏倚，然五行所钟，各有所厚，毕竟各人有各人气质。尧敦大之气多，舜精明之气多，禹收敛之气多，文王柔嘉之气多，周公文为之气多，孔子庄严之气多，熟读经史自见。若说天纵圣人，如太和元气流行，略不沾着一些四时之气，纯是德性用事，不落一毫气质，则六圣人须索一个气象，无毫发不同方是。

读书要看圣人气象性情。《乡党》见孔子气象十九。至其七情。如回非助我，牛刀割鸡，见其喜处；由之瑟，由之使门人为臣，怃然于沮溺之对，见其怒处；丧予之恸，获麟之泣，见其哀处；侍侧言志之问，与人歌和之时，见其乐处；山梁雌雉之叹，见其爱处；斥由之佞，答子贡“君子有恶”之语，见其恶处；周公之梦，东周之想，见其欲处。便见他发而皆中节处。

费宰之辞，长府之止，看闵子议论，全是一个机轴，便见他和悦而诤。处人论事之法，莫妙于闵子，天生底一段中平之气。

圣人妙处在转移人不觉，贤者以下便露圭角，费声色，做出来只见张皇。

或问：“孔、孟周流，到处欲行其道，似技痒的？”曰：“圣贤自家看的分数真，天生出我来，抱千古帝王道术，有旋乾转坤手段，只兀兀家居，甚是自负，所以遍行天下，以求遇夫可行之君。既而天下皆无一遇，犹有九夷、浮海之思，公山、佛肸之往。夫子岂真欲如此？只见吾道有起死回生之力，天下有垂死欲生之民，必得君而后术可施也。譬之他人孺子入井与己无干，既在井畔，又知救法，岂忍袖手？”

明道答安石，能使愧屈，伊川答子由，遂激成三党，可以观二公所得。

休作世上另一种人，形一世之短。圣人也只是与人一般，才使人觉异样，便不是圣人。

平生不作圆软态，此是丈夫。能软而不失刚方之气，此是大丈夫。圣贤之所以分也。

圣人于万事也，以无定体为定体，以无定用为定用，以无定见为定见，以无定守为定守。贤人有定体，有定用，有定见，有定守。故圣人为从心所欲，贤人为立身行己，自有法度。

圣贤之私书，可与天下人见；密事，可与天下人知；不意之言，可与天下人闻；暗室之中，可与天下人窥。

好问好察时，着一“我”字不得，此之谓能忘。执两端时，着一“人”字不得，此之谓能定。欲见之施行，略无人己之嫌，此之谓能化。

无过之外，更无圣人；无病之外，更无好人。贤智者于无过之外求奇，此道之贼也。

积爱所移，虽至恶不能怒，狃于爱故也；积恶所习，虽至感莫能回，狃于恶故也。惟圣人之用情不狃。

圣人有功于天地，只是人事二字。其尽人事也不言天命，非不知回天无力，人事当然，成败不暇计也。

或问：“狂者动称古人，而行不掩言，无乃行不顾言乎？孔子奚取焉？”曰：“此与行不顾言者人品悬绝。譬之于射，立拱把于百步之外，九矢参连，此养由基能事也。孱夫拙射，引弦之初，亦望拱把而从事焉，即发，不出十步之远，中不近方丈之鹄，何害其为志士？又安知日关弓，月抽矢，白首终身，有不为由基者乎？是故学者贵有志，圣人取有志。狷者言尺行尺，见寸守寸，孔子以为次者，取其守之确而恨其志之隘也。今人安于凡陋，恶彼激昂，一切以行不顾言沮之，又甚者，以言是行非谤之，不知圣人岂有一蹴可至之理？希圣人岂有一朝径顿之术？只有有志而废于半途，未有无志而能行跬步者。”或曰：“不言而躬行何如？”曰：“此上智也。中人以下须要讲求博学、审问、明辩，与同志之人相砥砺奋发，皆所以讲求之也，安得不言？若行不顾言，则言如此而行如彼，口古人而心衰世，岂得与狂者同日语哉？”

君子立身行己自有法度，此有道之言也。但法度自尧、舜、禹、汤、文、武、周、孔以来只有一个，譬如律令，一般天下古今所共守者。若家自为律，人自为令，则为伯夷、伊尹、柳下惠之法度。故以道为法度者，时中[1]之圣；以气质为法度者，一偏之圣。

【注释】

①时中：修身行事，合于中道。

圣人是物来顺应，众人也是物来顺应。圣人之顺应也，从廓然大公来，故言之应人如响，而吻合乎当言之理；行之应物也，如取诸宫中，而吻合乎当行之理。众人之顺应也，从任情信意来，故言之应人也，好莠自口，而鲜与理合；事之应物也，可否惟欲，而鲜与理合。君子则不然，其不能顺应也，不敢以顺应也。议之而后言，言犹恐尤也；拟之而后动，动犹恐悔也。却从存养省察来。噫！今之物来顺应者，人人是也，果圣人乎？可哀也已！

圣人与众人一般，只是尽得众人的道理，其不同者，乃众人自异于圣人也。

天道以无常为常，以无为为为。圣人以无心为心，以无事为事。

万物之情，各求自遂者也。惟圣人之心，则欲遂万物而忘自遂。

为宇宙完人甚难，自初生以至属纩，彻头彻尾无些子破绽尤难，恐亘古以来不多几人。其馀圣人都是半截人，前面破绽，后来修补，比至终年晚岁，才得干净，成就了一个好人，还天付本来面目，故曰汤、武反之也。曰反，则未反之前便有许多欠缺处。今人有过便甘自弃，以为不可复入圣人境域，不知盗贼也许改恶从善，何害其为有过哉？只看归宿处成个甚人，以前都饶得过。

圣人低昂气化，挽回事势，如调剂气血，损其侈不益其强，补其虚不甚其弱，要归于平而已。不平则偏，偏则病，大偏则大病，小偏则小病。圣人虽欲不平，不可得也。

圣人绝四，不惟纤尘微障无处着脚，即万理亦无作用处，所谓顺万事而无情也。

圣人胸中万理浑然，寂时则如悬衡鉴，感之则若决江河，未有无故自发一善念。善念之发，胸中不纯善之故也。故惟有旦昼之梏亡，然后有夜气之清明。圣人无时不夜气，是以胸中无无，故自见光景。

法令所行，可以使土偶奔趋；惠泽所浸，可以使枯木萌孽；教化所孚，可以使鸟兽伏驯；精神所极，可以使鬼神感格，吾必以为圣人矣。

圣人不强人以太难，只是拨转他一点自然底肯心。

参赞化育底圣人，虽在人类中，其实是个活天，吾尝谓之人天。

孔子只是一个通，通处更无孔子。

圣人不随气运走。不随风俗走，不随气质走。

圣人平天下，不是夷山填海，高一寸还他一寸，低一分还他一分。

“圣而不可知之之谓神。”不可知，可知之祖也。无不可知做可知不出，无可知则不可知何所附属？

只为多了这知觉，便生出许多情缘，添了许多苦恼。落花飞絮岂无死生？他只恁委和委顺而已。或曰："圣学当如是乎？"曰："富贵、贫贱、寿夭、宠辱，圣人未尝不落花飞絮之耳。虽有知觉心，不为知觉苦。"

圣人心上再无分毫不自在处。内省不疚，既无忧惧，外至之患，又不怨尤。只是一段不释然，却是畏天命，悲人穷也。

定静安虑，圣人无一刻不如此。或曰："喜怒哀乐到面前何如？"曰："只恁喜怒哀乐，定静安虑，胸次无分毫加损。"

有相予者，谓面上部位多贵，处处指之。予曰："所忧不在此也。汝相予一心要包藏得天下理，相予两肩要担当得天下事，相予两脚要踏得万事定，虽不贵，予奚忧？不然，予有愧于面也。"

物之入物者染物，入于物者染于物。惟圣人无所入，万物亦不得而入之。惟无所入，故无所不入。惟不为物入，故物亦不得而离之。

人于吃饭穿衣，不曾说我当然不得不然，至于五常百行，却说是当然不得不然，又竟不能然。

孔子七十而后从心，六十九岁未敢从也。众人一生只是从心，从心安得好？圣学战战兢兢，只是降伏一个从字，不曰戒慎恐惧，则曰忧勤惕励，防其从也。岂无乐时？乐也只是乐天。众人之乐则异是矣。任意若不离道，圣贤性不与人殊，何苦若此？

日之于万形也，鉴之于万象也，风之于万籁也，尺度权衡之于轻重长短也，圣人之于万事万物也，因其本然，付以自然，分毫我无所与焉。然后感者常平，应者常逸，喜亦天，怒亦天，而吾心之天如故也。万感劻勷[1]，众动镠辖，而吾心之天如故也。

【注释】

①劻勷（kuāng ráng）：惶遽不安。

平生无一事可瞒人，此是大快乐。

尧、舜虽是生知安行，然尧、舜自有尧、舜工夫学问。但聪明睿智，千百众人岂能不资见闻，不待思索？朱文公云：圣人生知安行，更无积累之渐。圣人有圣人底积累，岂儒者所能测识哉？

伯夷见冠不正，望望然去之，何不告之使正？柳下惠见袒裼裸程，而由由与偕，何不告之使衣？故曰：不夷不惠，君子居身之珍也。

亘古五帝三王不散之精英，铸成一个孔子，馀者犹成颜、曾以下诸贤，至思、孟，而天地纯粹之气索然一空矣。春秋战国君臣之不肖也，宜哉！后乎此者，无圣人出焉。靳孔、孟诸贤之精英而未尽泄与？

品藻

独处看不破，忽处看不破，劳倦时看不破，急遽仓卒时看不破，惊忧骤感时看不破，重大独当时看不破，吾必以为圣人。

圣人做出来都是德性，贤人做出来都是气质，众人做出来都是习俗，小人做出来都是私欲。

汉儒杂道，宋儒隘道。宋儒自有宋儒局面，学者若入道，且休着宋儒横其胸中，只读六经四书而体玩之，久久胸次自是不同。若看宋儒，先看濂溪、明道。

一种人难悦亦难事，只是度量褊狭，不失为君子；一种人易事亦易悦，这是贪污软弱，不失为小人。

为小人所荐者，辱也；为君子所弃者，耻也。

小人有恁一副邪心肠，便有一段邪见识；有一段邪见识，便有一段邪议论；有一段邪议论，便引一项邪朋党，做出一番邪举动。其议论也，援引附会，尽成一家之言，攻之则圆转迁就而不可破；其举动也，借善攻善，匿恶济恶，善为骑墙之计，击之则疑似牵缠而不可断。此小人之尤，而借君子之迹者也。此藉君子之名，而济小人之私者也。亡国败家，端是斯人。若明白小人，刚戾小人，这都不足恨。所以易恶阴柔，阳只是一个，惟阴险伏而多端，变幻而莫测，驳杂而疑似，譬之光天化日，黑白分明，人所共见，暗室晦夜，多少埋伏，多少类象，此阴阳之所以别也。虞廷黜陟，惟曰幽明，其以是夫？

富于道德者不矜事功，犹矜事功，道德不足也；富于心得者不矜闻见，犹矜闻见，心得不足也。文艺自多，浮薄之心也；富贵自雄，卑陋之见也。此二人者，皆可怜也，而雄富贵者更不数于丈夫行。彼其冬烘盛大之态，皆君子之所欲呕者也。而彼且志骄意得，可鄙孰甚焉？

士君子在尘世中，摆脱得开，不为所束缚；摆脱得净，不为所污蔑，此之谓天挺人豪。

藏名远利，夙夜汲汲乎实行者，圣人也。为名修，为利劝，夙夜汲汲乎实行者，贤人也。不占名标，不寻利孔，气昏志惰，荒德废业者，众人也。炫虚名，渔实利，而内存狡狯之心，阴为鸟兽之行者，盗贼也。

圈子里干实事，贤者可能；圈子外干大事，非豪杰不能。或曰：“圈子外可干乎？”曰：“世俗所谓圈子外，乃圣贤所谓性分内也。人守一官，官求一称，内外皆若人焉，天下可庶几矣，所谓圈子内干实事者也。心切忧世，志在匡时，苟利天下，文法所不能拘；苟计成功，形迹所不必避，则圈子外干大事者也。识高千古，虑周六合，挽末世之颓风，还先王之雅道，使海内复尝秦汉以前之滋味，则又圈子以上人矣。世有斯人乎？吾将与之共流涕矣。乃若硁硁狃众见，惴惴循弊规，威仪文辞，灿然可观，勤慎谦默，居然寡过，是人也，但可为高官耳，世道奚赖焉？”

达人落叶穷通，浮云生死；高士睥睨古今，玩弄六合；圣人古今一息，万物一身；众人尘弃天真，腥集世味。

阳君子取祸，阴君子独免；阳小人取祸，阴小人得福。阳君子刚正直方，阴君子柔嘉温厚；阳小人暴戾放肆，阴小人奸回智巧。

古今士率有三品：上士不好名，中士好名，下士不知好名。

上士重道德，中士重功名，下士重辞章，斗筲之人重富贵。

人流品格，以君子小人定之，大率有九等：有君子中君子，才全德备，无往不宜者也。有君子，优于德而短于才者也。有善人，恂雅温朴，仅足自守，识见虽正，而不能自决，躬行虽力，而不能自保。有众人，才德识见俱无足取，与世浮沉，趋利避害，禄禄风俗中无自表异。有小人，偏气邪心，惟己私是殖，苟得所欲，亦不害物。有小人中小人，贪残阴狠，恣意所极，而才足以济之，敛怨怙终，无所顾忌。外有似小人之君子，高峻奇绝，不就俗检，然规模弘远，小疵常类，不足以病之。有似君子之小人，老诈浓文，善藏巧借，为天下之大恶，占天下之大名，事幸不败，当时后世皆为所欺而竟不知者。有君子小人之间，行亦近正而偏，语亦近道而杂，学圆通便近于俗，尚古朴则入于腐，宽便姑息，严便猛鸷。是人也，有君子之心，有小人之过者也，每至害道，学者戒之。

有俗检，有礼检。有通达，有放达。君子通达于礼检之中，骚士放达于俗检之外。世之无识者，专以小节细行定人品，大可笑也。

上才为而不为，中才只见有为，下才一无所为。

心术平易，制行诚直，语言疏爽，文章明达，其人必君子也。心术微暖，制行诡秘，语言吞吐，文章晦涩，其人亦可知矣。

有过不害为君子，无过可指底，真则圣人，伪则大奸，非乡愿之媚世，则小人之欺世也。

从欲则如附膻，见道则若嚼蜡，此下愚之极者也。

有涵养人心思极细，虽应仓卒，而胸中依然暇豫，自无粗疏之病。心粗便是学不济处。

功业之士，清虚者以为粗才，不知尧、舜、禹、汤、皋、夔、稷、契功业乎？清虚乎？饱食暖衣而工骚墨之事，话玄虚之理，谓勤政事者为俗吏，谓工农桑者为鄙夫，此敝化之民也，尧、舜之世无之。

观人括以五品：高、正、杂、庸、下。独行奇识曰高品，贤智者流。择中有执曰正品，圣贤者流。有善有过曰杂品，劝惩可用。无短无长曰庸品，无益世用。邪伪二种曰下品，慎无用之。

气节信不过人，有出一时之感慨，则小人能为君子之事；有出于一念之剽窃，则小人能盗君子之名。亦有初念甚力，久而屈其雅操，当危能奋，安而丧其平生者，此皆不自涵养中来。若圣贤学问，至死更无破绽。

无根本底气节，如酒汉殴人，醉时勇，醒时索然无分毫气力。无学问底识见，如庖人炀灶，面前明，背后左右无一些照顾，而无知者赏其一时，惑其一偏，每击节叹服，信以终身。吁！难言也。

众恶必察，是仁者之心。不仁者闻人之恶，喜谈乐道。疏薄者闻人之恶，深信不疑。惟仁者知恶名易以污人，而作恶者之好为诬善也，既察为人所恶者何人，又察言者何心，又察致恶者何由，耐心留意，独得其真，果在位也，则信任不疑；果不在位也，则举辟无贰；果如人所中伤也，则扶救必力。呜呼！此道不明久矣。

见是贤者，就着意回护，虽有过差，都向好边替他想；见是不贤者，就着意搜索，虽有偏长，都向恶边替他想，自宋儒以来率坐此失。大段都是个偏识见，所谓好而不知其恶，恶而不知其美者。惟圣人便无此失，只是此心虚平。

蕴藉之士深沉，负荷之士弘重，斡旋之士圆通，康济之士精敏。反是皆凡才也，即聪明辩博无补焉。

君子之交怕激，小人之交怕合。斯二者，祸人之国，其罪均也。

圣人把得定理，把不得定势。是非，理也。成败，势也。有势不可为而犹为之者，惟其理而已。知此，则三仁可与五臣比事功，孔子可与尧、舜较政治。

未试于火，皆纯金也。未试于事，皆完人也。惟圣人无往而不可。下圣人一等皆有所不足，皆可试而败。夫三代而下人物，岂甚相远哉？生而所短不遇于所试，则全名定论，可以盖棺；不幸而偶试其所不足，则不免为累。夫试不试之间，不可以定人品也。故君子观人不待试，而人物高下终身事业不爽分毫，彼其神识自在世眼之外耳。

世之颓波，明知其当变，狃于众皆为之而不敢动；事之义举，明知其当为，狃于众皆不为而不敢动，是亦众人而已。提抱之儿得一果饼，未敢辄食，母尝之而后入口，彼不知其可食与否也。既知之矣，犹以众人为行止，可愧也夫。惟英雄豪杰不徇习以居非，能违俗而任道，夫是之谓独复。呜呼！此庸人智巧之士，所谓生事而好异者也。

士气不可无，傲气不可有。士气者，明于人己之分，守正而不诡随。傲气者，昧于上下之等，好高而不素位。自处者每以傲人为士气，观人者每以士气为傲人。悲夫！故惟有士气者能谦己下人。彼傲人者昏夜乞哀，或不可知矣。

体解神昏、志消气沮，天下事不是这般人干底。攘臂抵掌，矢志奋心，天下事也不是这般人干底。干天下事者，智深勇沉，神闲气定，有所不言，言必当，有所不为，为必成。不自好而露才，不轻试以幸功，此真才也，世鲜识之。近世惟前二种人，乃互相讥，识者胥笑之。

贤人君子，那一种人里没有？鄙夫小人，那一种人里没有？世俗都在那爵位上定人品，把那邪正却作第二着看。今有仆隶乞丐之人，特地做忠孝节义之事，为天地间立大纲常，我当北面师事之。环视达官贵人，似俯首居其下矣。论到此，那富贵利达与这忠孝节义比来，岂直太山鸿毛哉？然则匹夫匹妇未可轻，而下士寒儒其自视亦不可渺然小也。故论势分，虽抱关之吏，亦有所下以伸其尊。论性分，则尧、舜与途人可揖让于一堂。论心谈道，孰贵孰贱？孰尊孰卑？故天地间惟道贵，天地间人惟得道者贵。

山林处士常养一个傲慢轻人之象，常积一腹痛愤不平之气，此是大病痛。

好名之人充其心，父母兄弟妻子都顾不得，何者？名无两成，必相形而后显。叶人证父攘羊，陈仲子恶兄受鹅，周泽奏妻破戒，皆好名之心为之也。

世之人常把好事让与他人做，而甘居己于不肖，又要掠个好名儿在身上，而诋他人为不肖。悲夫！是益其不肖也。

理圣人之口易，理众人之口难。圣人之口易为众人，众人之口难为圣人，岂直当时之毁誉，即千古英雄豪杰之士，节义正直之人，一入议论之家，彼臧此否，各骋偏执，互为雌黄。譬之舞文吏出入人罪，惟其所欲，求其有大公至正之见，死者复生而向服者几人？是生者肆口，而死者含冤也。噫！使臧否人物者，而出于无闻之士，犹昔人之幸也。彼擅著作之名，号为一世人杰，而立言不慎，则是狱成于廷尉，就死而莫之辩也，不仁莫大焉。是故君子之论人，与其刻也宁恕。

正直者必不忠厚，忠厚者必不正直。正直人植纲常扶世道，忠厚人养和平培根本。然而激天下之祸者，正直之人；养天下之祸者，忠厚之过也。此四字兼而有之，惟时中之圣。

露才是士君子大病痛，尤其甚于饰才。露者，不藏其所有也。饰者，虚剽其所无也。

士有三不顾：行道济时人顾不得爱身，富贵利达人顾不得爱德，全身远害人顾不得爱天下。

其事难言而于心无愧者，宁灭其可知之迹。故君子为心受恶，太伯是已。情有所不忍，而义不得不然者，宁负大不韪之名。故君子为理受恶，周公是已。情有可矜，而法不可废者，宁自居于忍以伸法。故君子为法受恶，武侯是已。人皆为之，而我独不为，则掩其名以分谤。故君子为众受恶，宋子罕是已。

不欲为小人，不能为君子。毕竟作甚么人？曰：众人。既众人，当与众人伍矣，而列其身名于士大夫之林可乎？故众人而有士大夫之行者荣，士大夫而为众人之行者辱。

天之生人，虽下愚亦有一窍之明，听其自为用而极致之，亦有可观，而不可谓之才。所谓才者，能为人用，可圆可方，能阴能阳，而不以己用者也，以己用皆偏才也。

心平气和而有强毅不可夺之力，秉公持正而有圆通不可拘之权，可以语人品矣。

从容而不后事，急遽而不失容，脱略而不疏忽，简静而不凉薄，真率而不鄙俚，温润而不脂韦，光明而不浅浮，沉静而不阴险，严毅而不苛刻，周匝而不烦碎，权变而不谲诈，精明而不猜察，亦可以为成人矣。

厚德之士能掩人过，盛德之士不令人有过。不令人有过者，体其不得已之心，知其必至之情，而预遂之者也。

烈士死志，守士死职，任士死怨，忿士死斗，贪士死财，躁士死言。

知其不可为而遂安之者，达人智士之见也；知其不可为而犹极力以图之者，忠臣孝子之心也。

无识之士有三耻：耻贫，耻贱，耻老。或曰："君子独无耻与？"曰："有耻。亲在而贫，耻；用贤之世而贱，耻；年老而德业无闻，耻。"

初开口便是煞尾语，初下手便是尽头着，此人大无含蓄，大不济事，学者戒之。

一个俗念头，一双俗眼目，一口俗话说，任教聪明才辩，可惜错活了一生。

或问："君子小人辩之最难？"曰："君子而近小人之迹，小人而为君子之态，此诚难辩。若其大都，则如皂白不可掩也。君子容貌敦大老成，小人容貌浮薄琐屑。君子平易，小人跷蹊；君子诚实，小人奸诈；君子多让，小人多争；君子少文，小人多态。君子之心正直光明，小人之心邪曲微暧。君子之言雅淡质直，惟以达意；小人之言鲜浓柔泽，务于可人。君子与人亲而不昵，直谅而不养其过；小人与人狎而致情，谀悦而多济其非。君子处事可以盟天质日，虽骨肉而不阿；小人处事低昂世态人情，虽昧理而不顾。君子临义，慷慨当前，惟视天下国家人物之利病，其祸福毁誉了不关心；小人临义则观望顾忌，先虑爵禄身家妻子之便否，视社稷苍生漫不属己。君子事上，礼不敢不恭，难使枉道；小人事上，身不知为我，侧意随人。君子御下，防其邪而体其必至之情；小人御下，遂吾欲而忘彼同然之愿。君子自奉节俭恬雅，小人自奉汰侈弥文。君子亲贤爱士，乐道人之善；小人嫉贤妒能，乐道人之非。如此类者，色色顿殊。孔子曰：'患不知人。'吾以为终日相与，其类可分，虽善矜持，自有不可掩者在也。"

今之论人者，于辞受不论道义，只以辞为是，故辞宁矫廉，而避贪爱之嫌。于取与不论道义，只以与为是，故与宁伤惠，而避吝啬之嫌。于怨怒不论道义，只以忍为是，故礼虽当校，而避无量之嫌。义当明分，人皆病其谀而以倨傲矜陵为节概；礼当持体，人皆病其倨而以过礼足恭为盛德。惟俭是取者，不辩礼有当丰；惟默是贵者，不论事有当言。此皆察理不精，贵贤知而忘其过者也。噫！与不及者诚有间矣，其贼道均也。

狃浅识狭闻，执偏见曲说，守陋规格套，斯人也若为乡里常人，不足轻重，若居高位有令名，其坏世教不细。

以粗疏心看古人亲切之语，以烦躁心看古人静深之语，以浮泛心看古人玄细之语，以浅狭心看古人博洽之语，便加品骘，真孟浪人也。

平生无一人称誉，其人可知矣。平生无一人诋毁，其人亦可知矣。大如天，圣如孔子，未尝尽可人意。是人也，无分君子小人皆感激之，是在天与圣人上，贤耶？不肖耶？我不可知矣。

寻行数墨是头巾见识，慎步矜趋是钗裙见识，大刀阔斧是丈夫见识，能方能圆、能大能小是圣人见识。

春秋人计可否，畏礼义，惜体面。战国人只是计利害，机械变诈，苟谋成计得，顾甚体面？说甚羞耻？

太和中发出，金石可穿，何况民物有不孚格者乎？

自古圣贤孜孜汲汲，惕励忧勤，只是以济世安民为己任，以检身约己为先图。自有知以至于盖棺，尚有未毕之性分，不了之心缘。不惟孔、孟，虽佛、老、墨翟、申、韩皆有一种毙而后已念头，是以生不为世间赘疣之物，死不为幽冥浮荡之鬼。乃西晋王衍辈一出，以身为懒散之物，百不经心，放荡于礼法之外，一无所忌，以浮谈玄语为得圣之清，以灭理废教为得道之本，以浪游于山水之间为高人，以衔杯于糟曲之林为达士，人废职业，家尚虚无，不止亡晋，又开天下后世登临题咏之祸，长惰慢放肆之风，以至于今。追原乱本，盖开衅于庄、列，而基恶于巢、由。有世道之责者，宜所戒矣。

微子抱祭器归周，为宗祀也。有宋之封，但使先王血食，则数十世之神灵有托，我可也，箕子可也，但属子姓者一人亦可也。若曰事异姓以苟富贵而避之嫌，则浅之乎其为识也。惟是箕子可为夷、齐，而《洪范》之陈、朝鲜之封，是亦不可以已乎？曰：系累之臣，释囚访道，待以不臣之礼而使作宾，固圣人之所不忍负也。此亦达节之一事，不可为后世宗臣藉口。

无心者公，无我者明。当局之君子不如旁观之众人者，有心有我之故也。

君子豪杰战兢惕励，当大事勇往直前；小人豪杰放纵恣睢，拚一命横行直撞。

“老子犹龙”不是尊美之辞，盖变化莫测，渊深不露之谓也。

乐要知内外。圣贤之乐在心，故顺逆穷通随处皆泰；众人之乐在物，故山溪花鸟遇境才生。

可恨读底是古人书，作底是俗人事。

言语以不肖而多，若皆上智人，更不须一语。

能用天下而不能用其身，君子惜之。善用其身者，善用天下者也。

粗豪人也自正气，但一向恁底便不可与入道。

学者不能徙义改过，非是不知，只是积慵久惯。自家由不得自家，便没一些指望。若真正格致了，便由不得自家，欲罢不能矣。

孔、孟以前人物只是见大，见大便不拘挛。小家势人寻行数墨，使杀了，只成就个狷者。

终日不歇口，无一句可议之言，高于缄默者百倍矣。

越是聪明人越教诲不得。

强恕，须是有这恕心才好。勉强推去，若视他人饥寒痛楚漠然通不动心，是恕念已无，更强个甚？还须是养个恕出来，才好与他说强。

盗莫大于瞒心昧己，而窃劫次之。

明道受用处，阴得之佛、老，康节受用处，阴得之庄、列，然作用自是吾儒。盖能奴仆四氏，而不为其所用者。此语人不敢道，深于佛、老、庄、列者自然默识得。

乡原是似不是伪，孟子也只定他个似字。今人却把似字作伪字看，不惟欠确，且末减了他罪。

不当事，不知自家不济。才随遇长，识以穷精。坐谈先生只好说理耳。

沉溺了，如神附，如鬼迷，全由不得自家，不怕你明见真知。眼见得深渊陡涧，心安意肯底直前撞去，到此翻然跳出，无分毫粘带，非天下第一大勇不能。学者须要知此。

巢父、许由，世间要此等人作甚？荷蒉、晨门、长沮、桀溺[①]知世道已不可为，自有无道则隐一种道理。巢、由一派有许多人皆污浊尧、舜，唦吐皋、夔，自谓旷古高人，而不知不仕无义，洁一身以病天下，吾道之罪人也。且世无巢、许，不害其为唐虞，无尧、舜、皋、夔，巢、许也没安顿处，谁成就你个高人？

【注释】

①荷蒉、晨门、长沮、桀溺：皆为隐士。

而今士大夫聚首时，只问我辈奔奔忙忙、熬熬煎煎，是为天下国家，欲济世安民乎？是为身家妻子，欲位高金多乎？世之治乱，民之死生，国之安危，只于这两个念头定了。嗟夫！吾辈日多而世益苦，吾辈日贵而民日穷，世何贵于有吾辈哉？

只气盛而色浮，便见所得底浅。邃养之人安详沉静，岂无慷慨激切，发强刚毅时，毕竟不轻恁的。

以激为直，以浅为诚，皆贤者之过。

评品古人，必须胸中有段道理，如权平衡直，然后能称轻重。若执偏见曲说，昧于时不知其势，责其病不察其心，未尝身处其地，未尝心筹其事，而曰某非也，某过也，是瞽指星、聋议乐，大可笑也。君子耻之。

小勇噉躁，巧勇色笑，大勇沉毅，至勇无气。

为善去恶是趋吉避凶，惑矣，阴阳异端之说也，祀非类之鬼，禳自致之灾，祈难得之福，泥无损益之时日，宗趋避之邪术，悲夫！愚民之抵死而不悟也！即悟之者，亦狃天下皆然，而不敢异。至有名公大人，尤极信尚。呜呼！反经以正邪慝，将谁望哉？

夫物愚者真，智者伪；愚者完，智者丧。无论人，即乌之返哺，雉之耿介，鸤鸠均平专一，雎鸠和而不流，雁之贞静自守，驺虞之仁，獬豸之秉正嫉邪，何尝有矫伪哉？人亦然，人之全其天者，皆非智巧者也。才智巧，则其天漓矣，漓则其天可夺，惟愚者之天不可夺。故求道真，当求之愚；求不二心之臣以任天下事，亦当求之愚。夫愚者何尝不智哉？愚者之智，纯正专一之智也。

面色不浮，眼光不乱，便知胸中静定，非久养不能。《礼》曰："俨若思，安定辞。"善形容有道气象矣。

于天理汲汲者，于人欲必淡；于私事耽耽者，于公务必疏；于虚文烨烨者，于本实必薄。

圣贤把持得"义"字最干净，无分毫"利"字干扰。众人才有义举，便不免有个"利"字来扰乱。"利"字不得，便做"义"字不成。

道自孔、孟以后，无人识三代以上面目。汉儒无见于精，宋儒无见于大。

有忧世之实心，泫然欲泪；有济世之实才，施处辄宜。斯人也，我愿为曳履执鞭。若聚谈纸上微言，不关国家治忽，争走尘中众辙，不知黎庶死生，即品格有清浊，均于宇宙无补也。

安重深沉是第一美质。定天下之大难者，此人也。辩天下之大事者，此人也。刚明果断次之。其他浮薄好任，翘能自喜，皆行不逮者也。即见诸行事而施为无术，反以偾事，此等只可居谈论之科耳。

任有七难：繁任要提纲挈领，宜综核之才。重任要审谋独断，宜镇静之才。急任要观变会通，宜明敏之才。密任要藏机相可，宜周慎之才。独任要担当执持，宜刚毅之才。兼任要任贤取善，宜博大之才。疑任要内明外朗，宜驾驭之才。天之生人，各有偏长。国家之用人，备用群长。然而投之所向辄不济事者，所用非所长，所长非所用也。

操进退用舍之权者，要知大体。若专以小知观人，则卓荦奇伟之士都在所遗。何者？敦大节者不为细谨，有远略者或无小才，肩巨任者或无捷识；而聪明材辩、敏给圆通之士，节文习熟、闻见广洽之人，类不能裨缓急之用。嗟夫！难言之矣。士之遇不遇，顾上之所爱憎也。

居官念头有三用：念念用之君民，则为吉士；念念用之套数，则为俗吏；念念用之身家，则为贼臣。

小廉曲谨之士，循途守辙之人，当太平时，使治一方、理一事，尽能奉职。若定难决疑，应卒蹈险，宁用破绽人，不用寻常人。虽豪悍之魁，任侠之雄，驾御有方，更足以建奇功，成大务。噫！难与曲局者道。

圣人悲时悯俗，贤人痛世疾俗，众人混世逐俗，小人败常乱俗。呜呼！小人坏之，众人从之，虽悯虽疾，竟无益矣。故明王在上，则移风易俗。

观人只谅其心，心苟无他，迹皆可原。如下官之供应未备，礼节偶疏，此岂有意简傲乎？简傲上官以取罪，甚愚者不为也，何怒之有？供应丰溢，礼节卑屈，此岂敬我乎？将以悦我为进取之地也，何感之有？

今之国语乡评，皆绳人以细行，细行一亏，若不可容于清议，至于大节都脱略废坠，浑不说起。道之不明，亦至此乎？可叹也已！

凡为外所胜者，皆内不足也；为邪所夺者，皆正不足也。二者如持衡然，这边低一分，那边即昂一分，未有毫发相下者也。

善为名者，借口以掩真心；不善为名者，无心而受恶名。心迹之间，不可以不辩也。此观人者之所忽也。

自中庸之道不明，而人之相病无终已。狷介之人病和易者为熟软，和易之人病狷介者为乖戾；率真之人病慎密者为深险，慎密之人病率真者为粗疏；精明之人病浑厚者为含糊，浑厚之人病精明者为苛刻。使质于孔子，吾知其必有公案矣。孔子者，合千圣于一身，萃万善于一心，随事而时出之，因人而通变之，圆神不滞，化裁无端。其所自为，不可以教人者也。何也？难以言传也。见人之为，不以备责也。何也？难以速化也。

观操存在利害时，观精力在饥疲时，观度量在喜怒时，观存养在纷华时，观镇定在震惊时。

人言之不实者十九，听言而易信者十九，听言而易传者十九。以易信之心，听不实之言，播喜传之口，何由何跖？而流传海内，记载史册，冤者冤，幸者幸。呜呼！难言之矣。

名望甚隆，非大臣之福也。如素行无愆，人言不足仇也。

尽聪明底是尽昏愚，尽木讷底是尽智慧。

透悟天地万物之情，然后可与言性。

僧道、宦官、乞丐，未有不许其为圣贤者。我儒衣儒冠且不类儒，彼顾得以嗤之，奈何以为异类也，而鄙夷之乎？

盈山宝玉，满海珠玑，任人恣意采取，并无禁厉榷夺，而束手畏足，甘守艰难，愚亦至此乎？

告子许大力量，无论可否，只一个不动心，岂无骨气人所能？可惜只是没学问，所谓“其至，尔力也”。

功士后名，名士后功。三代而下，真功名之士绝少。圣人以道德为功名者也，贤人以功名为功名者也，众人以富贵为功名者也。

建天下之大事功者，全要眼界大。眼界大则识见自别。

一切人为恶犹可言也，惟读书人不可为恶。读书人为恶，更无教化之人矣。一切人犯法犹可言也，做官人不可犯法。做官人犯法，更无禁治之人矣。

自有书契以来，穿凿附会，作聪明以乱真者，不可胜纪。无知者借信而好古之名，以误天下后世苍生。不有洞见天地万物之性情者出而正之，迷误何有极哉？虚心君子，宁阙疑可也。

君子当事，则小人皆为君子，至此不为君子，真小人也；小人当事，则中人皆为小人，至此不为小人，真君子也。

小人亦有好事，恶其人则并疵其事；君子亦有过差，好其人则并饰其非：皆偏也。

无欲底有，无私底难。二氏能无情欲，而不能无私。无私无欲，正三教之所分也。此中最要留心理会，非狃于闻见、章句之所能悟也。

道理中作人，天下古今都是一样；气质中作人，便自千状万态。

论造道之等级，士不能越贤而圣，越圣而天。论为学之志向，不分士、圣、贤，便要希天。

多学而识，原是中人以下一种学问。故夫子自言“多闻，择其善而从之，多见而识之”，教子张“多闻阙疑”“多见阙殆”，教人“博学于文”，教颜子博之以文。但不到一贯地位，终不成究竟。故顿渐两门，各缘资性。今人以一贯为入门，上等天资自是了悟，非所望于中人，其误后学不细。

无理之言，不能惑世诬人。只是他聪明才辩，附会成一段话说，甚有滋味，无知之人欣然从之，乱道之罪不细。世间此种话十居其六七，既博且久，非知道之君子，孰能辩之？

间中都不容发，此智者之所乘，而愚者之所昧也。

明道不落尘埃，多了看释、老；伊川终是拘泥，少了看庄、列。

迷迷易悟，明迷难醒。明迷愚，迷明智。迷人之迷，一明则跳脱；明人之迷，明知而陷溺。明人之明，不保其身；迷人之明，默操其柄。明明可与共太平，明迷可与共患忧。

闻毁不可遽信，要看毁人者与毁于人者之人品。毁人者贤，则所毁者损；毁人者不肖，则所毁者重。考察之年，闻一毁言如获珙璧，不暇计所从来，枉人多矣。

是众人，即当取其偏长；是贤者，则当望以中道。

士君子高谈阔论，语细探玄，皆非实际，紧要在适用济事。故今之称拙钝者曰不中用，称昏庸者曰不济事。此虽谚语口头，余尝愧之，同志者盍亦是务乎？

秀雅温文，正容谨节，清庙明堂所宜。若蹈汤火，衽金革，食牛吞象之气，填海移山之志，死孝死忠，千捶百折，未可专望之斯人。

不做讨便宜底学问，便是真儒。

亲疏生爱憎，爱憎生毁誉，毁誉生祸福。此智者之所耽耽注意，而端人正士之所脱略而不顾者也。此个题目考人品者不可不知。

精神只顾得一边，任你聪明智巧，有所密必有所疏。惟平心率物，无毫发私意者，当疏当密，一准于道，而人自相忘。

读书要看三代以上人物是甚学识、甚气度、甚作用。汉之粗浅，便着世俗；宋之局促，使落迂腐，如何见三代以前景象？

真是真非，惟是非者知之，旁观者不免信迹而诬其心，况门外之人，况千里之外、百年之后乎？其不虞之誉，求全之毁，皆爱憎也。其爱憎者，皆恩怨也。故公史易，信史难。

或问："某公如何？"曰："可谓豪杰英雄，不可谓端人正士。"问："某公如何？"曰："可谓端人正士，不可谓达节通儒。"达节通儒，乃端人正士中豪杰英雄者也。

名实如形影。无实之名，造物所忌，而矫伪者贪之，暗修者避之。

儒者惟有建业立功是难事，自古儒者成名多是讲学著述，人未尝尽试所言，恐试后纵不邪气，其实成个事功，不狼狈以败者，定不多人。

卷五　外篇·书集

治道

庙堂之上，以养正气为先；海宇之内，以养元气为本。能使贤人君子无郁心之言，则正气培矣；能使群黎百姓无腹诽之语，则元气固矣。此万世帝王保天下之要道也。

六合之内，有一事一物相陵夺假借，而不各居其正位，不成清世界；有匹夫匹妇冤抑愤懑，而不得其分愿，不成平世界。

天下万事万物皆要求个实用。实用者，与吾身心关损益者也。凡一切不急之物，供耳目之玩好，皆非实用也，愚者甚至丧其实用以求无用。悲夫！是故明君治天下，必先尽革靡文，而严诛淫巧。

兴利无太急，要左视右盼；革弊无太骤，要长虑却顾。

苟可以柔道理，不必悻直也；苟可以无为理，不必多事也。

为政之道，以不扰为安，以不取为与，以不害为利，以行所无事为兴废起敝。

从政自有个大体。大体既立，则小节虽抵牾，当别作张弛，以辅吾大体之所未备，不可便改弦易辙。譬如待民贵有恩，此大体也，即有顽暴不化者，重刑之，而待民之大体不变。待士有礼，此大体也，即有淫肆不检者，严治之，而待士之大体不变。彼始之宽也，既养士民之恶，终之猛也，概及士民之善，非政也，不立大体故也。

为政先以扶持世教为主。在上者一举措间，而世教之隆污、风俗之美恶系焉。若不管大体何如，而执一时之偏见，虽一事未为不得，而风化所伤甚大，是谓乱常之政。先王慎之。

人情之所易忽莫如渐，天下之大可畏莫如渐。渐之始也，虽君子不以为意。有谓其当防者，虽君子亦以为迂。不知其极重不反之势，天地圣人亦无如之奈何，其所由来者渐也。周、郑交质，若出于骤然，天子虽孱懦甚，亦必有恚心，诸侯虽豪横极，岂敢生此念？迨积渐所成，其流不觉至是。故步视千里为远，前步视后步为近。千里者，步步之积也。是以骤者举世所惊，渐者圣人独惧。明以烛之，坚以守之，毫发不以假借，此慎渐之道也。

君子之于风俗也，守先王之礼而俭约是崇，不妄开事端以贻可长之渐。是故漆器不至金玉，而刻镂之不止；黼黻不至庶人，锦绣被墙屋不止。民贫盗起不顾也，严刑峻法莫禁也。是故君子谨其事端，不开人情窦而恣小人无厌之欲。

著令甲者，凡以示天下万世，最不可草率，草率则行时必有滞碍；最不可含糊，含糊则行者得以舞文；最不可疏漏，疏漏则出于吾令之外者无以凭藉，而行者得以专辄。

筑基树臬者，千年之计也；改弦易辙者，百年之计也；兴废补敝者，十年之计也；垩白黝青者，一时之计也。因仍苟且，势必积衰，助波覆倾，反以裕蛊。先天下之忧者，可以审矣。

气运怕盈，故天下之势不可使之盈。既盈之势，便当使之损。是故不测之祸，一朝之忿，非目前之积也，成于势盈。势盈者，不可不自损。捧盈卮者，徐行不如少挹。

微者正之，甚者从之。从微则甚，正甚愈甚。天地万物，气化人事，莫不皆然。是故正微从甚，皆所以禁之也。此二帝三王之所以治也。

圣人治天下，常令天下之人精神奋发，意念敛束。奋发则万民无弃业，而兵食足，义气充，平居可以勤国，有事可以捐躯。敛束则万民无邪行，而身家重、名检修。世治则礼法易行，国衰则奸盗不起。后世之民，怠惰放肆甚矣。臣民而怠惰放肆，明主之忧也。

能使天下之人者，惟神、惟德、惟惠、惟威。神则无言无为，而妙应如响。德则共尊共亲，而归附自同。惠则民利其利，威则民畏其法。非是则动众无术矣。

只有不容已之真心，自有不可易之良法。其处之未必当者，必其思之不精者也。其思之不精者，必其心之不切者也。故有纯王之心，方有纯王之政。

《关雎》是个和平之心，《麟趾》是个仁厚之德。只将和平仁厚念头行政，则仁民爱物，天下各得其所。不然，《周官》法度以虚文行之，岂但无益，且以病民。

民胞物与①，子厚胸中合下有这段着痛着痒心，方说出此等语。不然，只是做戏的一般，虽是学哭学笑，有甚悲喜？故天下事只是要心真。二帝三王亲亲、仁民、爱物，不是向人学得来，亦不是见得道理当如此。曰亲、曰仁、曰爱，看是何等心肠，只是这点念头恳切殷浓，至诚恻怛，譬之慈母爱子，由不得自家。所以有许多生息爱养之政。悲夫！可为痛哭也已。

【注释】

①民胞物与：所有人类都是同一父母（天地）所生的亲兄弟，其他万物是人类的朋友。

王法上承天道，下顺人情，要个大中至正，不容有一毫偏重偏轻之制。行法者，要个大公无我，不容有一毫故出故入之心，则是天也。君臣以天行法，而后下民以天相安。

人情天下古今所同，圣人惧其肆，特为之立中以防之，故民易从。有乱道者从而矫之，为天下古今所难为之事，以为名高，无识者相与骇异之，崇奖之，以率天下，不知凡于人情不近者，皆道之贼也。故立法不可太激，制礼不可太严，责人不可太尽，然后可以同归于道。不然，是驱之使畔也。

振玩兴废，用重典；惩奸止乱，用重典；齐众摧强，用重典。

民情有五，皆生于便。见利则趋，见色则爱，见饮食则贪，见安逸则就，见愚弱则欺，皆便于己故也。惟便，则术不期工而自工；惟便，则奸不期多而自多。君子固知其难禁也，而德以柔之，教以谕之，礼以禁之，法以惩之，终日与便为敌，而竟不能衰止。禁其所便，与强其所不便，其难一也。故圣人治民如治水，不能使不就下，能分之使不泛溢而已。堤之使不决，虽尧、舜不能。

圣明之世，情礼法三者不相忤也。末世，情胜则夺法，法胜则夺礼。

圣人能用天下，而后天下乐为之用。圣人以心用，天下以形用。心用者，无用者也。众用之所恃，以为用者也。若与天下竞智勇、角聪明，则穷矣。

后世无人才，病本只是学政不修。而今把作万分不急之务，才振举这个题目，便笑倒人。官之无良，国家不受其福，苍生且被其祸。不知当何如处？

圣人在上，能使天下万物各止其当然之所，而无陵夺假借之患，夫是之谓各安其分，而天地位焉；能使天地万物各遂其同然之情，而无抑郁倔强之态，夫是之谓各得其愿，而万物育焉。

先王为政，全在人心上用工夫。其体人心，在我心上用工夫。何者？同然之故也。故先王体人于我，而民心得，天下治。

天下之祸，成于怠忽者居其半，成于激迫者居其半。惟圣人能销祸于未形，弭患于既著。夫是之谓知微知彰。知微者不动声色，要在能察几；知彰者不激怒涛，要在能审势。呜呼！非圣人之智，其谁与于此？

精神爽奋，则百废俱兴；肢体怠弛，则百兴俱废。圣人之治天下，鼓舞人心，振作士气，务使天下之人如含露之朝叶，不欲如久旱之午苗。

而今不要掀揭天地、惊骇世俗，也须拆洗乾坤、一新光景。

无治人，则良法美意反以殃民；有治人，则弊习陋规皆成善政。故有文武之政，须待文武之君臣。不然，青萍、结绿，非不良剑也；乌号、繁弱，非不良弓矢也，用之非人，反以资敌。予观放赈、均田、减粜、检灾、乡约、保甲、社仓、官牛八政而伤心焉。不肖有司，放流有馀罪矣。

振则须起风雷之益，惩则须奋刚健之乾，不如是，海内大可忧矣。

夫民怀敢怒之心，畏不敢犯之法，以待可乘之衅。众心已离，而上之人且恣其虐以甚之，此桀纣之所以亡也。是以明王推自然之心，置同然之腹，不恃其顺我者之迹，而欲得其无怨我者之心。体其意欲而不忍拂，知民之心不尽见之于声色，而有隐而难知者在也。此所以固结深厚，而子孙终必赖之也。

圣主在上，只留得一种天理民彝、经常之道在，其馀小道曲说、异端横议，斩然芟除，不遗馀类。使天下之人易耳改目、洗心濯虑，于一切乱政之术，如再生，如梦觉，若未尝见闻。然后道德一而风俗同，然后为纯王之治。

治世莫先无伪，教民只是不争。

圣人无奇名，太平无奇事，何者？皇锡此极，民归此极，道德一，风俗同，何奇之有？

公私两字，是宇宙的人鬼关。若自朝堂以至闾里，只把持得公字定，便自天清地宁，政清讼息；只一个私字，扰攘得不成世界。

王道感人处，只在以我真诚怛恻之心，体其委曲必至之情。是故不赏而劝，不激而奋，出一言而能使人致其死命，诚故也。

天下之存亡系两字，曰“天命”。天下之去就系两字，曰“人心”。

耐烦则为三王，不耐烦则为五霸。

圣人联天下为一身，运天下于一心。今夫四肢百骸、五脏六腑皆吾身也，痛痒之微，无有不觉，无有不顾。四海之痛痒，岂帝王所可忽哉？夫一指之疔如粟，可以致人之死命。国之存亡不在耳目闻见时，闻见时则无及矣。此以利害言之耳。一身麻木若不是我，非身也。人君者，天下之人君。天下者，人君之天下。而血气不相通，心知不相及，岂天立君之意耶？

无厌之欲，乱之所自生也。不平之气，乱之所由成也。皆有国者之所惧也。

用威行法，宜有三豫：一曰上下情通，二曰惠爱素孚，三曰公道难容。如此则虽死而人无怨矣。

天下所望于圣人，只是个安字。圣人所以安天下，只是个平字。平则安，不平则不安矣。

三军要他轻生，万姓要他重生。不轻生不能戡乱，不重生易于为乱。

治道尚阳，兵道尚阴；治道尚方，兵道尚圆。是惟无言，言必行；是惟无行，行必竟。易简明达者，治之用也。有言之不必行者，有言之即行者，有行之后言者，有行之竟不言者，有行之非其所言者。融通变化，信我疑彼者，兵之用也。二者杂施，鲜不败矣。

善用威者不轻怒，善用恩者不妄施。

居上之患，莫大于赏无功，赦有罪；尤莫大于有功不赏，而罚及无罪。是故王者任功罪，不任喜怒；任是非，不任毁誉。所以平天下之情，而防其变也。此有国家者之大戒也。

事有知其当变而不得不因者，善救之而已矣；人有知其当退而不得不用者，善驭之而已矣。

下情之通于上也，如婴儿之于慈母，无小弗达；上德之及于下也，如流水之于间隙，无微不入。如此而天下乱亡者，未之有也。故壅蔽之奸，为亡国罪首。

不齐，天之道也，数之自然也。故万物生于不齐，而死于齐。而世之任情厌事者，乃欲一切齐之，是益以甚其不齐者也。夫不齐其不齐，则简而易治；齐其不齐，则乱而多端。

宇宙有三纲，智巧者不能逃也。一王法，二天理，三公论。可畏哉！

《诗》云："乐只君子，民之父母。"又曰："岂弟君子，民之父母。"君子观于《诗》，而知为政之道矣。

既成德矣，而诵其童年之小失；既成功矣，而笑其往日之偶败，皆刻薄之见也。君子不为。

任是最愚拙人，必有一般可用，在善用之者耳。

公论，非众口一词之谓也。满朝皆非，而一人是，则公论在一人。

为政者，非谓得行即行，以可行则行耳。有得行之势，而昧可行之理，是位以济其恶也。君子谓之贼。

使众之道，不分职守，则分日月，然后有所责成而上不劳，无所推委而下不奸。混呼杂命，概怒偏劳，此不可以使二人，况众人乎？勤者苦，惰者逸，讷者冤，辩者欺，贪者饱，廉者饥。是人也，即为人下且不能，而使之为人上，可叹也夫！

世教不明，风俗不美，只是策励士大夫。

治病要择良医，安民要择良吏。良吏不患无人，在选择有法，而激劝有道耳。

藏人为君守财，吏为君守法，其守一也。藏人窃藏以营私，谓之盗。吏以法市恩，不曰盗乎？卖公法以酬私德，剥民财以树厚交，恬然以为当然，可叹哉！若吾身家，慨以许人，则吾专之矣。

弭盗之末务，莫如保甲；弭盗之本务，莫如教养。故斗米十钱，夜户不闭，足食之效也。守遗待主，始于盗牛，教化之功也。夫盗，辱名也。死，重法也。而人犹为之，此其罪岂独在民哉？而惟城池是恃，关键是严，巡缉是密，可笑也已。

整顿世界，全要鼓舞天下人心。鼓舞人心，先要振作自家神气。而今提纲挚领之人，奄奄气不足以息，如何教海内不软手折脚、零骨懈髓底！

事有大于劳民伤财者，虽劳民伤财亦所不顾。事有不关利国安民者，虽不劳民伤财亦不可为。

足民，王政之大本。百姓足，万政举；百姓不足，万政废。孔子告子贡以足食，告冉有以富之。孟子告梁王以养生、送死、无憾，告齐王以制田里、教树畜。尧、舜舍此无良法矣。哀哉！

百姓只干正经事，不怕衣食不丰足。君臣只干正经事，不怕天下不太平。试问百司庶府所职者何官？终日所干者何事？有道者可以自省矣。

法至于平，尽矣，君子又加之以恕。乃知平者，圣人之公也；恕者，圣人之仁也。彼不平者，加之以深，不恕者，加之以刻，其伤天地之和多矣。

化民成俗之道，除却身教，再无巧术；除却久道，再无顿法。

礼之有次第也，犹堂之有阶，使人不得骤僭也。故等级不妨于太烦。阶有级，虽疾足者不得阔步；礼有等，虽倨傲者不敢陵节。

人才邪正，世道为之也。世道污隆，君相为之也。君人者何尝不费富贵哉？以正富贵人，则小人皆化为君子；以邪富贵人，则君子皆化为小人。

满目所见，世上无一物不有淫巧。这淫巧耗了世上多少生成底财货，误了世上多少生财底工夫，淫巧不诛，而欲讲理财，皆苟且之谈也。

天地之财，要看他从来处，又要看他归宿处。从来处要丰要养，归宿处要约要节。

将三代以来陋习敝规一洗而更之，还三代以上一半古意，也是一个相业。若改正朔、易服色，都是腐儒作用；葺倾厦，逐颓波，都是俗吏作用，于苍生奚补？噫！此可与有识者道。

御戎之道，上焉者德化心孚，其次讲信修睦，其次远驾长驱，其次坚壁清野，其次阴符智运，其次接刃交锋，其下叩关开市，又其下纳币和亲。

为政之道，第一要德感诚孚，第二要令行禁止。令不行，禁不止，与无官无政同，虽尧、舜不能治一乡，而况天下乎！

防奸之法，毕竟疏于作奸之人。彼作奸者，拙则作伪以逃防，巧则就法以生弊，不但去害，而反益其害。彼作者十，而犯者一耳。又轻其罪以为未犯者劝，法奈何得行？故行法不严，不如无法。

世道有三责：责贵，责贤，责坏纲乱纪之最者。三责而世道可回矣。贵者握风俗教化之权而首坏，以为庶人倡，则庶人莫不象之。贤者明风俗教化之道而自坏，以为不肖者倡，则不肖者莫不象之。责此二人，此谓治本。风教既坏，诛之不可胜诛，故择其最甚者以令天下，此渭治末。本末兼治，不三年而四海内光景自别。乃今贵者、贤者为教化风俗之大蠹，而以体面宽假之，少严则曰苛刻以伤士大夫之体，不知二帝三王曾有是说否乎？世教衰微，人心昏醉，不知此等见识何处来？所谓淫朋比德，相为庇护，以藏其短，而道与法两病矣。天下如何不敝且乱也？

印书先要个印板真，为陶先要个模子好。以邪官举邪官，以俗士取俗士，国欲治，得乎？

不伤财，不害民，只是不为虐耳。苟设官而惟虐之虑也，不设官其谁虐之？正为家给人足，风移俗易，兴利除害，转危就安耳。

设廉静寡欲，分毫无损于民，而万事废弛，分毫无益于民也，逃不得“尸位素餐”四字。

人情不论是非利害，莫不乐便己者，恶不便己者。居官立政，无论殃民，即教养谆谆，禁令惓惓，何尝不欲其相养相安、免祸远罪哉？然政一行，而未有不怨者。故圣人先之以躬行，浸之以口语，示之以好恶，激之以赏罚，日积月累，耐意精心，但尽熏陶之功，不计俄顷之效，然后民知善之当为，恶之可耻，默化潜移，而服从乎圣人。今以无本之令，责久散之民，求旦夕之效，逞不从之怒，忿疾于顽，而望敏德之治，即我且亦愚不肖者，而何怪乎蚩蚩之氓哉？

骤制则小者未必帖服，以渐则天下豪杰皆就我羁靮矣。明制则愚者亦生机械，默制则天下无智巧皆入我范围矣。此驭夷狄待小人之微权，君子用之则为术知，小人用之则为智巧，舍是未有能济者也。或曰：“何不以至诚行之？”曰：“此何尝不至诚？但不浅露轻率耳。孔子曰：‘机事不密则害成。’此之谓与？”

要天下太平，满朝只消三个人，一省只消两个人。

贤者只是一味，圣人备五味。一味之人，其性执，其见偏，自有用其一味处，但当因才器使耳。

天之气运有常，人依之以作事而百务成，因之以长养而百病少。上之政体有常，则下之志趋定，而渐可责成。人之耳目一，而因以寡过。

君子见狱囚而加礼焉。今以后皆君子人也，可无敬与？噫！刑法之设，明王之所以爱小人，而示之以君子之路也。然则囹圄者，小人之学校与？

小人只怕他有才，有才以济之，流害无穷。君子只怕他无才，无才以行之，斯世何补？

事有便于官吏之私者，百世常行，天下通行，或日盛月新，至弥漫而不可救。若不便于己私，虽天下国家以为极，便屡加申饬，每不能行，即暂行亦不能久。负国负民，吾党之罪大矣。

恩威当使有馀，不可穷也。天子之恩威，止于爵三公、夷九族。恩威尽，而人思以胜之矣。故明君养恩不尽，常使人有馀荣；养威不尽，常使人有馀惧。此久安长治之道也。

刑礼非二物也，皆令人迁善而去恶也。故远于礼，则近于刑。

权之所在，利之所归也。圣人以权行道，小人以权济私。在上者慎以权与人。

太平之时，文武将吏习于懒散，拾前人之唾馀，高谈阔论，尽似真才。乃稍稍艰，大事到手，仓皇迷闷，无一干济之术，可叹可恨！士君子平日事事讲求，在在体验，临时只办得三五分，若全然不理会，只似纸舟尘饭耳。

圣人之杀，所以止杀也。故果于杀，而不为姑息。故杀者一二，而所全活者千万。后世之不杀，所以滋杀也。不忍于杀一二，以养天下之奸，故生其可杀，而生者多陷于杀。呜呼！后世民多犯死，则为人上者妇人之仁为之也。世欲治得乎？

天下事，不是一人做底，故舜五臣，周十乱，其馀所用皆小德小贤，方能兴化致治。天下事，不是一时做底，故尧、舜相继百五十年，然后黎民于变。文、武、周公相继百年，然后教化大行。今无一人谈治道，而孤掌欲鸣。一人倡之，众人从而诋訾之；一时作之，后人从而倾圮之。呜呼！世道终不三代耶？振教铎以化，吾侪得数人焉，相引而在事权，庶几或可望乎？

两精两备，两勇两智，两愚两意，则多寡强弱在所必较。以精乘杂，以备乘疏，以勇乘怯，以智乘愚，以有馀乘不足，以有意乘不意，以决乘二三，以合德乘离心，以锐乘疲，以慎乘怠，则多寡强弱非所论矣。故战之胜负无他，得其所乘与为人所乘，其得失不啻百也。实精也，而示之以杂；实备也，而示之以疏；实勇也，而示之以怯；实智也，而示之以愚；实有馀也，而示之以不足；实有意也，而示之以不意；实有决也，而示之以二三；实合德也，而示之以离心；实锐也，而示之以疲；实慎也，而示之以怠，则多寡强弱亦非所论矣。故乘之可否无他，知其所示，知其无所示，其得失亦不啻百也。故不藏其所示，凶也。误中于所示，凶也。此将家之所务审也。

守令于民，先有知疼知热，如儿如女一副真心肠，甚么爱养曲成事业做不出。只是生来没此念头，便与说绽唇舌，浑如醉梦。

或问宰相之道，曰：无私有识。冢宰之道，曰：知人善任使。

当事者，须有贤圣心肠，英雄才识。其谋国忧民也，出于恻怛至诚；其图事揆策也，必极详慎精密。踌躕及于九有，计算至于千年，其所施设，安得不事善功成、宜民利国？今也怀贪功喜事之念，为孟浪苟且之图，工粉饰弥缝之计，以遂其要荣取贵之奸，为万姓造殃不计也，为百年开衅不计也，为四海耗蠹不计也，计吾利否耳。呜呼！可胜叹哉！

为人上者，最怕器局小，见识俗。吏胥舆皂尽能笑人，不可不慎也。

为政者，立科条，发号令，宁宽些儿，只要真实行，永久行。若法极精密，而督责不严，综核不至，总归虚弥，反增烦扰。此为政者之大戒也。

民情不可使不便，不可使甚便。不便则壅阏而不通，甚者令之不行，必溃决而不可收拾；甚便则纵肆而不检，甚者法不能制，必放溢而不敢约束。故圣人同其好恶，以体其必至之情；纳之礼法，以防其不可长之渐。故能相安相习，而不至于为乱。

自委质后，终日做底是朝廷官，执底是朝廷法，干底是朝廷事。荣辱在君，爱憎在人，进退在我。吾辈而今错处，把官认作自家官，所以万事顾不得，只要保全这个在，扶持这个尊，此虽是第二等说话，然见得这个透，还算五分人。

二帝三王功业，原不难做，只是人不曾理会。譬之遥望万丈高峰，何等巍峨，他地步原自逶迤，上面亦不陡峻，不信只小试一试便见得。

洗漆以油，洗污以灰，洗油以腻，去小人以小人，此古今妙手也。昔人明此意者几？故以君子去小人，正治之法也。正治是堂堂之阵，妙手是玄玄之机。玄玄之机，非圣人不能用也。

吏治不但错枉，去慵懦无用之人，清仕路之最急者。长厚者误国蠹民以相培植，奈何？

易衰歇而难奋发者，我也。易懒散而难振作者，众也。易坏乱而难整饬者，事也。易蛊敝而难久当者，物也。此所以治日常少，而乱日常多也。故为政要鼓舞不倦，纲常张，纪常理。

滥准、株连、差拘、监禁、保押、淹久、解审、照提，此八者，狱情之大忌也，仁人之所隐也。居官者慎之。

卷六　外篇·数集

人情

无所乐有所苦，即父子不相保也，而况民乎？有所乐无所苦，即戎狄且相亲也，而况民乎？

世之人，闻人过失，便喜谈而乐道之；见人规己之过，既掩护之，又痛疾之；闻人称誉，便欣喜而夸张之；见人称人之善，既盖藏之，又搜索之。试思这个念头是君子乎？是小人乎？

乍见之患，愚者所惊；渐至之殃，智者所忽也。以愚者而当智者之所忽，可畏哉！

论人情只往薄处求，说人心只往恶边想，此是私而刻底念头，自家便是个小人。古人责人每于有过中求无过，此是长厚心、盛德事。学者熟思，自有滋味。

人说己善则喜，人说己过则怒。自家善恶自家真知，待祸败时欺人不得。人说体实则喜，人说体虚则怒，自家病痛自家独觉，到死亡时欺人不得。

迷莫迷于明知，愚莫愚于用智，辱莫辱于求荣，小莫小于好大。

两人相非，不破家忘身不止，只回头认自家一句错，便是无边受用；两人自是，不反面稽唇不止，只温语称人一句好，便是无限欢欣。

将好名儿都收在自家身上，将恶名儿都推在别人身上，此天下通情。不知此两个念头都揽个恶名在身，不如让善引过。

露己之美者恶，分人之美者尤恶，而况专人之美，窃人之美乎？

吾党戒之。

守义礼者，今人以为倨傲；工谀佞者，今人以为谦恭。举世名公达宦自号儒流，亦迷乱相责而不悟，大可笑也。

爱人以德而令人仇，人以德爱我而仇之，此二人者皆愚也。

无可知处尽有可知之人而忽之，谓之瞽；可知处尽有不可知之人而忽之，亦谓之瞽。

朝廷法纪做不得人情，天下名分做不得人情，圣贤道理做不得人情，他人事做不得人情，我无力量做不得人情。以此五者徇人，皆妄也。君子慎之。

古人之相与也，明目张胆，推心置腔。其未言也，无先疑；其既言也，无后虑。今人之相与也，小心屏息，藏意饰容。其未言也，怀疑畏；其既言也，触祸机。哀哉！安得心地光明之君子，而与之披情愫、论肝膈也？哀哉！彼亦示人以光明，而以机阱陷人也。

古之君子，不以其所能者病人，今人却以其所不能者病人。

古人名望相近则相得，今人名望相近则相妒。

福莫大于无祸，祸莫大于求福。

言在行先，名在实先，食在事先，皆君子之所耻也。

两悔无不释之怨，两求无不合之交，两怒无不成之祸。

己无才而不让能，甚则害之；己为恶而恶人之为善，甚则诬之；己贫贱而恶人之富贵，甚则倾之。此三妒者，人之大戮也。

以患难时心居安乐，以贫贱时心居富贵，以屈局时心居广大，则无往而不泰然。以渊谷视康庄，以疾病视强健，以不测视无事，则无往而不安稳。

不怕在朝市中无泉石心，只怕归泉石时动朝市心。

人皆知少之为忧，而不知多之为忧也。惟智者忧多。

众恶之必察焉，众好之必察焉，易；自恶之必察焉，自好之必察焉，难。

有人情之识，有物理之识，有事体之识，有事势之识，有事变之识，有精细之识，有阔大之识。此皆不可兼也，而事变之识为难，阔大之识为贵。

圣人之道，本不拂人，然亦不求可人。人情原无限量，务可人不惟不是，亦自不能。故君子只务可理。

施人者虽无已，而我常慎所求，是谓养施；报我者虽无已，而我常不敢当，是谓养报。此不尽人之情，而全交之道也。

攻人者，有五分过恶，只攻他三四分，不惟彼有馀惧，而亦倾心引服，足以塞其辩口。攻到五分，已伤浑厚，而我无救性矣。若更多一分，是贻之以自解之资，彼据其一而得五，我贪其一而失五矣。此言责家之大戒也。

见利向前，见害退后，同功专美于己，同过委罪于人，此小人恒态，而丈夫之耻行也。

任彼薄恶，而吾以厚道敦之，则薄恶者必愧感，而情好愈笃。若因其薄恶也，而亦以薄恶报之，则彼我同非，特分先后耳，毕竟何时解释？此庸人之行，而君子不由也。

恕人有六：或彼识见有不到处，或彼听闻有未真处，或彼力量有不及处，或彼心事有所苦处，或彼精神有所忽处，或彼微意有所在处。先此六恕而命之不从，教之不改，然后可罪也已。是以君子教人而后责人，体人而后怒人。

直友难得，而吾又拒以讳过之声色；佞人不少，而吾又接以喜谀之意态。呜呼！欲不日入于恶也难矣。

情不足而文之以言，其言不可亲也；诚不足而文之以貌，其貌不足信也。是以天下之事贵真，真不容掩，而见之言貌，其可亲可信也夫！

势、利、术、言，此四者公道之敌也。炙手可热则公道为屈，贿赂潜通则公道为屈，智巧阴投则公道为屈，毁誉肆行则公道为屈。世之冀幸受诬者，不啻十五也，可慨夫！

圣人处世只于人情上做工夫，其于人情，又只于未言之先、不言之表上做工夫。

美生爱，爱生狎，狎生玩，玩生骄，骄生悍，悍生死。

礼是圣人制底，情不是圣人制底。圣人缘情而生礼，君子见礼而得情。众人以礼视礼，而不知其情，由是礼为天下虚文，而崇真者思弃之矣。

人到无所顾惜时，君父之尊不能使之严，鼎镬之威不能使之惧，千言万语不能使之喻，虽圣人亦无如之何也已。圣人知其然也，每养其体面，体其情私，而不使至于无所顾惜。

称人以颜子，无不悦者，忘其贫贱而夭；称人以桀、纣、盗跖，无不怒者，忘其富贵而寿。好善恶恶之同然如此，而作人却与桀、纣、盗跖同归，何恶其名而好其实耶？

今人骨肉之好不终，只为看得尔我二字太分晓。

圣人制礼本以体人情，非以拂之也。圣人之心非不因人情之所便而各顺之，然顺一时便一人，而后天下之大不顺便者因之矣。故圣人不敢恤小便拂大顺，徇一时弊万世，其拂人情者，乃所以宜人情也。

好人之善，恶人之恶，不难于过甚。只是好己之善，恶己之恶，便不如此痛切。

人之情，有言然而意未必然，有事然而意未必然者，非勉强于事势，则束缚于体面。善体人者要在识其难言之情，而不使其为言与事所苦。此圣人之所以感人心，而人乐为之死也。

人情愈体悉愈有趣味，物理愈玩索愈有入头。

不怕多感，只怕爱感。世之逐逐恋恋，皆爱感者也。

人情之险也，极矣。一令贪，上官欲论之而事泄，彼阳以他事得罪，上官避嫌，遂不敢论，世谓之箝口计。

有二三道义之友，数日别便相思，以为世俗之念，一别便生，亲厚之情，一别便疏。余曰："君此语甚有趣向，与淫朋狎友滋味迥然不同，但真味未深耳。孔、孟、颜、思，我辈平生何尝一接？只今诵读体认间如朝夕同堂对语，如家人父子相依，何者？心交神契，千载一时，万里一身也。久之，彼我且无，孰离孰合，孰亲孰疏哉？若相与而善念生，相违而欲心长，即旦暮一生，济得甚事？"

物理

春夏秋冬不是四个天，东西南北不是四个地，温凉寒热不是四种气，喜怒哀乐不是四张面。

临池者不必仰观，而日月星辰可知也；闭户者不必游览，而阴晴寒暑可知也。

先得天气而生者，本上而末下，人是已。先得地气而生者，本下而末上，草木是已。得气中之质者，飞。得质中之气者，走。得浑沦磅礴之气质者，为山河，为巨体之物。得游散纤细之气质者，为蠛蠓蚊蚁蠢动之虫，为苔藓萍蓬藜葳之草。

入钉惟恐其不坚，拔钉惟恐其不出。下锁惟恐其不严，开锁惟恐其不易。

以恒常度气数，以知识定窈冥，皆造化之所笑者也。造化亦定不得，造化尚听命于自然，而况为造化所造化者乎？堪舆星卜诸书，皆屡中者也。

火不自知其热，冰不自知其寒，鹏不自知其大，蚁不自知其小，相忘于所生也。

声无形色，寄之于器；火无体质，寄之于薪；色无着落，寄之草木。故五行惟火无体，而用不穷。

大风无声，湍水无浪，烈火无焰，万物无影。

万物得气之先。

无功而食，雀鼠是已；肆害而食，虎狼是已。士大夫可图诸座右。

薰香莸臭[1]，莸固不可有，薰也是多了的，不如无臭。无臭者，臭之母也。

【注释】

①薰：香草。莸：臭草。

圣人因蛛而知网罟，蛛非学圣人而布丝也；因蝇而悟作绳，蝇非学圣人而交足也。物者，天能；圣人者，人能。

执火不焦指，轮圆不及下者，速也。

广喻

剑长三尺，用在一丝之铦刃；笔长三寸，用在一端之锐毫，其馀皆无用之羡物也。虽然，使剑与笔但有其铦者锐者焉，则其用不可施。则知无用者，有用之资；有用者，无用之施。易牙不能无爨子，欧冶不能无砧手，工输不能无钻厮。苟不能无，则与有用者等也，若之何而可以相病也？

坐井者不可与言一度之天，出而四顾，则始觉其大矣。虽然，云木碍眼，所见犹拘也，登泰山之巅，则视天莫知其际矣。虽然，不如身游八极之表，心通九垓之外。天在胸中如太仓一粒，然后可以语通达之识。

着味非至味也，故玄酒[①]为五味先；着色非至色也，故太素为五色主；着象非至象也，故无象为万象母；着力非至力也，故大块载万物而不负；着情非至情也，故太清生万物而不亲；着心非至心也，故圣人应万事而不有。

【注释】

①玄酒：上古祭祀用水，后引申为薄酒。

凡病人面红如赭、发润如油者不治，盖萃一身之元气血脉尽于面目之上也。呜呼！人君富，四海贫，可以惧矣。

有国家者，厚下恤民，非独为民也。譬之于墉，广其下，削其上，乃可固也；譬之于木，溉其本，剔其末，乃可茂也。夫墉未有上丰下狭而不倾，木未有露本繁末而不毙者。可畏也夫！

天下之势，积渐成之也。无忽一毫舆羽折轴者，积也。无忽寒露寻至坚冰者，渐也。自古天下国家、身之败亡，不出积渐二字。积之微，渐之始，可为寒心哉！

火之大灼者无烟，水之顺流者无声，人之情平者无语。

风之初发于谷也，拔木走石，渐远而减，又远而弱，又远而微，又远而尽。其势然也。使风出谷也，仅能振叶拂毛，即咫尺不能推行矣。京师号令之首也，纪法不可以不振也。

背上有物，反顾千万转而不可见也，遂谓人言不可信；若必待自见，则无见时矣。

人有畏更衣之寒而忍一岁之冻，惧一针之痛而甘必死之疡者。一劳永逸，可与有识者道。

齿之密比，不嫌于相逼，固有故也。落而补之，则觉有物矣。夫惟固有者，多不得，少不得。

婴珠珮玉，服锦曳罗，而饿死于室中，不如丐人持一升之粟。是以明王贵用物，而诛尚无用者。

元气已虚，而血肉未溃，饮食起居不甚觉也，一旦外邪袭之，溘然死矣。不怕千日怕一旦，一旦者，千日之积也。千日可为，一旦不可为矣。故慎于千日，正以防其一旦也。有天下国家者，可惕然惧矣。

以果下车驾骐骥，以盆池水养蛟龙，以小廉细谨绳英雄豪杰，善官人者笑之。

水千流万派，始于一源；木千枝万叶，出于一本；人千酬万应，发于一心；身千病万症，根于一脏。眩于千万，举世之大迷也；直指原头，智者之独见也。故病治一，而千万皆除；政理一，而千万皆举矣。

水、鉴、灯烛、日月、眼，世间惟此五照，宜谓五明。

毫厘之轻，斤钧之所藉以为重者也；合勺之微，斛斗之所赖以为多者也；分寸之短，丈尺之所需以为长者也。

人中黄之秽，天灵盖之凶，人人畏恶之矣。卧病于床，命在须臾，片脑苏合，玉屑金泊，固有视为无用之物，而唯彼之亟亟者，时有所需也。胶柱用人于缓急之际，良可悲矣！

长戟利于锥，而戟不可以为锥；猛虎勇于狸，而虎不可以为狸。用小者无取于大，犹用大者无取于小，二者不可以相诮也。

鉴不能自照，尺不能自度，权不能自称，囿于物也。圣人则自照、自度、自称，成其为鉴、为尺、为权，而后能妍媸长短，轻重天下。

冰凌烧不熟，石砂蒸不粘。

火性空，故以兰麝投之则香，以毛骨投之则臭；水性空，故烹茶则清苦，煮肉则腥膻：无我故也。无我故能物物，若自家有一种气味杂于其间，则物矣。物与物交，两无宾主，同归于杂。如煮肉于茶，投毛骨于兰麝，是谓浑淆驳杂。物且不物，况语道乎？

大车满载，蚊蚋千万集焉，其去其来，无加于重轻也。

苍松古柏与夭桃秾李争妍，重较鸾镳与冲车猎马争步，岂直不能？亦可丑矣。

射之不中也，弓无罪，矢无罪，鹄无罪；书之弗工也，笔无罪，墨无罪，纸无罪。

锁钥各有合，合则开，不合则不开。亦有合而不开者，必有所以合而不开之故也。亦有终日开，偶然抵死不开，必有所以偶然不开之故也。万事必有故，应万事必求其故。

窗间一纸，能障拔木之风；胸前一瓠，不溺拍天之浪。其所托者然也。

人有馈一木者，家僮曰："留以为梁。"余曰："木小不堪也。"僮曰："留以为栋。"余曰："木大不宜也。"僮笑曰："木一也，忽病其大，又病其小。"余曰："小子听之，物各有宜用也，言各有攸当也，岂惟木哉？"他日为余生炭，满炉烘人。余曰："太多矣。"乃尽湿之，留星星三二点，欲明欲灭。余曰："太少矣。"僮怨曰："火一也，既嫌其多，又嫌其少。"余曰："小子听之，情各有所适也，事各有所量也，岂惟火哉？"

海，投以污秽，投以瓦砾，无所不容；取其宝藏，取其生育，无所不与。广博之量足以纳，触忤而不惊；富有之积足以供，采取而不竭。圣人者，万物之海也。

镜空而无我相，故照物不爽分毫。若有一丝痕，照人面上便有一丝；若有一点瘢，照人面上便有一点，差不在人面也。心体不虚，而应物亦然。故禅家尝教人空诸有，而吾儒惟有喜怒哀乐未发之中，故有发而中节之和。

人未有洗面而不闭目，撮红而不虑手者，此犹爱小体也。人未有过檐滴而不疾走，践泥涂而不揭足者，此直爱衣履耳。七尺之躯顾不如一履哉？乃沉之滔天情欲之海，拚于焚林暴怒之场，粉身碎体甘心焉而不顾，悲夫！

恶言如鸱枭之嗷，闲言如燕雀之喧，正言如狻猊之吼，仁言如鸾凤之鸣。以此思之，言可弗慎欤？

左手画圆，右手画方，是可能也。鼻左受香，右受恶；耳左听丝，右听竹；目左视东，右视西，是不可能也。二体且难分，况一念而可杂乎？

掷发于地，虽乌获不能使有声；投核于石，虽童子不能使无声。人岂能使我轻重哉？自轻重耳。

日食脍炙者，日见其美，若不可一日无。素食三月，闻肉味只觉其腥矣。今与脍炙人言腥，岂不讶哉？

钩吻[①]、砒霜，也都治病，看是甚么医手。

【注释】

①钩吻：毒草名。

家家有路到长安，莫辨东西与南北。

一薪无焰，而百枝之束燎原；一泉无渠，而万泉之会溢海。

钟一鸣而万户千门有耳者莫不入其声，而声非不足。使钟鸣于百里无人之野，无一人闻之，而声非有馀。钟非人人分送其声而使之入，人人非取足于钟之声以盈吾耳，此一贯之说也。

未有有其心而无其政者，如渍种之必苗，爇兰之必香；未有无其心而有其政者，如塑人之无语，画鸟之不飞。

某尝与友人论一事，友人曰："我胸中自有权量。"某曰："虽妇人孺子未尝不权量，只怕他大斗小秤。"

鼾鼾惊邻而睡者不闻，垢污满背而负者不见。

爱虺蝮而抚摩之，鲜不受其毒矣；恶虎豹而搏之，鲜不受其噬矣。处小人在不远不近之间。

玄奇之疾，医以平易。英发之疾，医以深沉。阔大之疾，医以充实。

不远之复，不若未行之审也。

千金之子，非一日而贫也。日朘月削，损于平日而贫于一旦，不咎其积，而咎其一旦，愚也。是故君子重小损，矜细行，防微敝。

上等手段用贼，其次拿贼，其次躲着贼走。

曳新屦者，行必择地。苟择地而行，则屦可以常新矣。

被桐以丝，其声两相借也。道不孤成，功不独立。

坐对明灯，不可以见暗，而暗中人见对灯者甚真。是故君子贵处幽。

无涵养之功，一开口动身便露出本象，说不得你有灼见真知；无保养之实，遇外感内伤依旧是病人，说不得你有真传口授。

磨墨得省身克己之法，膏笔得用人处事之法，写字得经世宰物之法。

不知天地观四时，不知四时观万物。四时分成是四截，总是一气呼吸，譬如釜水寒温热凉，随火之有无而变，不可谓之四水。万物分来是万种，总来一气薰陶，譬如一树花，大小后先，随气之完欠而成，不可谓之殊花。

阳主动，动生燥，有得于阳，则袒裼可以卧冰雪；阴主静，静生寒，有得于静，则盛暑可以衣裘褐。君子有得于道，焉往而不裕如哉？外若可挠，必内无所得者也。

天道渐则生，躐则杀。阴阳之气皆以渐，故万物长养而百化昌遂。冬燠则生气散，夏寒则生气收，皆躐也。故圣人举事，不骇人听闻。

只一条线把紧，要机括提掇得醒，满眼景物都生色，到处鬼神都响应。

一法立而一弊生，诚是，然因弊生而不立法，未见其为是也。夫立法以禁弊，犹为防以止水也，堤薄土疏而乘隙决溃诚有之矣，未有因决而废防者。无弊之法，虽尧、舜不能。生弊之法，亦立法者之拙也。故圣人不苟立法，不立一事之法，不为一切之法，不惩小弊而废良法，不为一时之弊而废可久之法。

地以一气嘘万物，而使之生，而物之受其气者，早暮不同，则物之性殊也，气无早暮；夭乔不同，物之体殊也，气无夭乔；甘苦不同，物之味殊也，气无甘苦；红白不同，物之色殊也，气无红白；荣悴不同，物之禀遇殊也，气无荣悴。尽吾发育之力，满物各足之分量；顺吾生植之道，听其取足之多寡，如此而已。圣人之治天下也亦然。

木钟撞之也有木声，土鼓击之也有土响，未有感而不应者也，如何只是怨尤？或曰："亦有感而不应者。"曰："以发击鼓，以羽撞钟，何应之有？"

四时之气，先感万物，而万物应。所以应者何也？天地万物一气也。故春感而粪壤气升，雨感而础石先润，磁石动而针转，阳燧映而火生，况有知乎？格天动物，只是这个道理。

积衰之难振也，如痿人之不能起。然若久痿，须补养之，使之渐起；若新痿，须针砭之，使之骤起。

器械与其备二之不精，不如精其一之为约。二而精之，万全之虑也。

我之子我怜之，邻人之子邻人怜之，非我非邻人之子，而转相鬻育，则不死为恩矣。是故公衙不如私舍之坚，驿马不如家骑之肥，不以我有视之也。苟扩其无我之心，则垂永逸者不惮。今日之一劳，惟民财与力之可惜耳，奚必我居也？怀一体者，当使刍牧之常足，惟造物生命之可悯耳，奚必我乘也？呜呼！天下之有我久矣，不独此一二事也。学者须要打破这藩篱，才成大世界。

脍炙之处，蝇飞满几，而太羹玄酒不至。脍炙日增，而欲蝇之集太羹[①]玄酒，虽驱之不至也。脍炙彻而蝇不得不趋于太羹玄酒矣。是故返朴还淳，莫如崇俭而禁其可欲。

【注释】

①太羹：古代祭祀时用的肉汁。

驼负百钧，蚁负一粒，各尽其力也；象饮数石，鼷饮一勺，各充其量也。君子之用人，不必其效之同，各尽所长而已。

以莫邪授婴儿而使之御虏，以繁弱[①]授蒙瞍而使之中的，其不胜任，授者之罪也。

【注释】

①繁弱：大弓名，代指良弓。

道途不治，不责妇人；中馈不治，不责仆夫。各有所官也。

瓦砾在道，过者皆弗见也，裹之以纸，人必拾之矣，十袭而椟之，人必盗之矣。故藏之，人思亡之；掩之，人思检之；围之，人思窥之；障之，人思望之，惟光明者不令人疑。故君子置其身于光天化日之下，丑好在我，我无饰也；爱憎在人，我无与也。

稳桌脚者于平处着力，益甚其不平。不平有二：有两隅不平，有一隅不平。于不少处着力，必致其欹斜。

极必反，自然之势也。故绳过绞则反转，掷过急则反射。无知之物尚尔，势使然也。

蜀道不难，有难于蜀道者，只要在人得步。得步则蜀道若周行，失步则家庭皆蜀道矣。

未有冥行疾走于断崖绝壁之道而不倾跌者。

张敬伯常经山险，谓余曰："天下事常震于始，而安于习。某数过栈道，初不敢移足，今如履平地矣。”余曰：“君始以为险，是不险；近以为不险，却是险。”

君子之教人也，能妙夫因材之术，不能变其各具之质。譬之地然，发育万物者，其性也，草得之而为柔，木得之而为刚，不能使草之为木，而木之为草也。是故君子以人治人，不以我治人。

无星之秤，公则公矣，而不分明；无权之秤，平则平矣，而不通变。君子不法焉。

羊肠之隘，前车覆而后车协力，非以厚之也。前车当关，后车停驾，匪惟同缓急，亦且共利害。为人也，而实自为也。呜呼！士君子共事而忘人之急，无乃所以自孤也夫？

两物交必有声，两人交必有争。有声，两刚之故也。两柔则无声，一柔一刚亦无声矣。有争，两贪之故也。两让则无争，一贪一让亦无争矣。抑有进焉，一柔可以驯刚，一让可以化贪。

石不入水者，坚也；磁不入水者，密也。人身内坚而外密，何外感之能入？物有一隙，水即入一隙；物虚一寸，水即入一寸。

挞人者梃也，而受挞者不怨梃；杀人者刃也，而受杀者不怨刃。

颈檠一首，足荷七尺，终身由之而不觉其重，固有之也。使他人之首枕我肩，他人之身在我足，则不胜其重矣。

不怕炊不熟，只愁断了火。火不断时，炼金煮砂可使为水作泥。而今冷灶清锅，却恁空忙作甚？

有脍炙于此，一人曰咸，一人曰酸，一人曰淡，一人曰辛，一人曰精，一人曰粗，一人曰生，一人曰熟，一人曰适口，未知谁是。质之易牙而味定矣。夫明知易牙之知味，而未必已口之信从，人之情也。况世未必有易牙，而易牙又未易识，识之又未必信从已。呜呼！是非之难一久矣。

余燕服长公服少许，余恶之，令差短焉。或曰：“何害？”余曰：“为下者出其分寸长，以形在上者之短，身之灾也，害孰大焉？”

水至清不掩鱼鲕之细，练至白不藏蝇点之缁。故清白二字，君子以持身则可，若以处世，道之贼而祸之薮也。故浑沦无所不包，幽晦无所不藏。

一人买布一匹，价钱百五十，令染人青之，染人曰："欲青，钱三百。"既染矣，逾年而不能取，染人牵而索之曰："若负我钱三百，何久不与？吾讼汝。"买布者惧，跽而恳之曰："我布值已百五十矣，再益百五十，其免我乎？"染人得钱而释之。

尝与友人游圃，品题众芳，渠以艳色浓香为第一。余曰："浓香不如清香，清香不若无香之为香；艳色不如浅色，浅色不如白色之为色。"友人曰："既谓之花，不厌浓艳矣。"余曰："花也，而能淡素，岂不尤难哉？若松柏本淡素，则不须称矣。"

一人多避忌，家有庆贺，一切尚红而恶素。客有乘白马者，不令入厩闲。有少年面白者，善谐谑，以朱涂面入，主人惊问，生曰："知翁之恶素也，不敢以白面取罪。"满座大笑，主人愧而改之。

有过彭泽者，值盛夏风涛拍天，及其反也，则隆冬矣，坚冰可履。问旧馆人："此何所也？"曰："彭泽。"怒曰："欺我哉！吾始过彭泽可舟也，而今可车；始也水活泼，而今坚结。无一似昔也，而君曰彭泽，欺我哉！"

人有夫妇将他出者，托仆守户。爱子在床，火延寝室。及归，妇人震号，其夫环庭追仆而杖之。当是时也，汲水扑火，其儿尚可免与！

词章

诗、词、文、赋，都要有个忧君爱国之意，济人利物之心，春风舞雩之趣，达天见性之精；不为赘言，不袭余绪，不道鄙迂，不言幽僻，不事刻削，不徇偏执。

议论之家，旁引根据，然而，据传莫如据经，据经莫如据理。

疏狂之人多豪兴，其诗雄，读之令人洒落，有起懦之功。清逸之人多芳兴，其诗俊，读之令人自爱，脱粗鄙之态。沉潜之人多幽兴，其诗淡，读之令人寂静，动深远之思。冲淡之人多雅兴，其诗老，读之令人平易，消童稚之气。

艰语深辞，险句怪字，文章之妖而道之贼也，后学之殃而木之灾也。路本平，而山溪之；日月本明，而云雾之。无异理，有异言；无深情，有深语。是人不诚，而是书不焚，有世教之责者之罪也。若曰其人学博而识深，意奥而语奇，然则孔、孟之言浅鄙甚矣。

圣人不作无用文章，其论道则为有德之言，其论事则为有见之言，其叙述歌咏则为有益世教之言。

真字要如圣人燕居，危坐端庄而和气自在；草字要如圣人应物，进退存亡，辞受取予，变化不测，因事异施而不失其中。要之，同归于任其自然，不事造作。

圣人垂世则为持衡之言，救世则有偏重之言。持衡之言，达之天下万世者也，可以示极；偏重之言，因事因人者也，可以矫枉。而不善读书者，每以偏重之言垂训，乱道也夫！诬圣也夫！

圣人之言，简淡明直中有无穷之味，大羹玄酒也；贤人之言，一见便透，而理趣充溢，读之使人豁然，脍炙珍羞也。

圣人终日信口开阖，千言万语，随事问答，无一字不可为训。贤者深沉而思，稽留而应，平气而言，易心而语，始免于过。出此二者，而恣口放言，皆狂迷醉梦语也。终日言，无一字近道，何以多为？

诗，低处在觅故事寻对头，高处在写胸中自得之趣，说眼前见在之景。

自孔子时便说“史不阙文”，又曰“文胜质则史”，把史字就作了一伪字看。如今读史只看他治乱兴亡，足为法戒，至于是非真伪，总是除外底。譬之听戏文一般，何须问他真伪，只是足为感创，便于风化有关。但有一桩可恨处，只缘当真看，把伪底当真；只缘当伪看，又把真底当伪。这里便宜了多少小人，亏枉了多少君子。

诗辞要如哭笑，发乎情之不容已，则真切而有味。果真矣，不必较工拙。后世只要学诗辞，然工而失真，非诗辞之本意矣。故诗辞以情真切、语自然者为第一。

文章有八要：简、切、明、尽、正、大、温、雅。不简则失之繁冗，不切则失之浮泛，不明则失之含糊，不尽则失之疏遗，不正则理不足以服人，不大则失冠冕之体，不温则暴戾刻削，不雅则鄙陋浅俗。庙堂文要有天覆地载，山林文要有仙风道骨，征伐文要有吞象食牛，奏对文要有忠肝义胆。诸如此类，可以例求。